Dados Internacionais de Catalogação na Publicação (CIP)
(Câmara Brasileira do Livro, SP, Brasil)

Fernandes, Odilon (Espírito).
Mediunidade & Sexualidade / ditado por Odilon Fernandes; [psicografado por] Carlos A. Baccelli. -- Catanduva, SP: Boa Nova Editora, 2012.

ISBN 978-85-99772-93-5

1. Espiritismo - Doutrina 2. Mediunidade 3. Psicografia 4. Sexualidade I. Baccelli, Carlos A.. II. Título.

12-12473   CDD-133.9

Índices para catálogo sistemático:
1. Mediunidade e sexualidade: Ponto de vista espírita 133.9

Impresso no Brasil/*Presita en Brazilo/Printed in Brazil*

MEDIUNIDADE & SEXUALIDADE

CARLOS A. BACCELLI
DITADO POR ODILON FERNANDES

Mediunidade & Sexualidade

3ª edição
Do 10º ao 13º milheiro
3.000 exemplares
Julho/2016

© 2012 - 2016 by Boa Nova Editora

Capa e Projeto gráfico
Juliana Mollinari

Diagramação
Juliana Mollinari

Revisão
Mariana Lachi
Maria Carolina Rocha

Coordenação Editorial
Ronaldo A. Sperdutti

Todos os direitos reservados. Nenhuma parte desta obra pode ser reproduzida ou transmitida por qualquer forma e/ou quaisquer meios (eletrônico ou mecânico, incluindo fotocópia e gravação) ou arquivada em qualquer sistema ou banco de dados sem permissão escrita da Editora.

O produto da venda desta obra é destinado à manutenção das atividades assistenciais da Sociedade Espírita Boa Nova, de Catanduva, SP.

1ª edição: Novembro de 2012 - 5.000 exemplares

Instituto Beneficente Boa Nova
Entidade coligada à Sociedade Espírita Boa Nova
Av. Porto Ferreira, 1.031 | Parque Iracema
Catanduva/SP | CEP 15809-020
www.boanova.net | boanova@boanova.net
Fone: 17 3531.4444 | Fax: 17 3531.4443

Mediunidade & Sexualidade

Tratando-se de um tema tão complexo, este é um livro muito simples. Mas, talvez, por isso mesmo, seja útil às pessoas mais simples.

A nossa intenção, ao concordar com a sua publicação, foi a de apenas abrir o diálogo em torno do assunto, cujo estudo, infelizmente, vem sendo adiado por quem de maior competência e melhor currículo.

Em nossas casas espíritas, nos últimos tempos, vêm se multiplicando pedidos de orientação a respeito do tema da conversa que, nestas páginas, procuramos encetar com o médium, através das dúvidas mais comuns que lhe têm sido apresentadas, em especial por jovens em conflito consigo mesmos e por seus genitores, naturalmente angustiados com a situação dos filhos queridos.

A questão da homossexualidade é fenômeno que não pode ser ignorado pelas religiões, posto que, nos últimos lustros, ele vem se tornando mais patente em todas as camadas sociais no mundo inteiro.

Pedimos vênia pela maneira informal, porém, respeitosa, com que procuramos falar sobre ela, permanecendo na expectativa de que este singelo opúsculo auxilie a quantos, de uma forma ou de outra, venham com ele se identificar.

Que o Senhor, como sempre, nos abençoe e guarde o propósito de melhor servir na Causa que abraçamos.

ODILON FERNANDES
Uberaba – MG, 12 de maio de 2012.

Mediunidade & Sexualidade

1 – Dr. Odilon, o senhor se disporia a responder-nos algumas questões em torno do tema "Mediunidade e Sexualidade"?

Desde que compreendam que, evidentemente, estarei respondendo-as de acordo com o meu entendimento sobre o assunto – entendimento atual, visto que, neste outro lado, os nossos estudos sobre qualquer tema da vida continuam a se desdobrar, incessantemente.

2 – O senhor encontrará, em mim, na condição de médium, embaraços para fazê-lo?

Com certeza! Em você que não conhece o assunto, senão superficialmente, e nos preconceitos que ainda vigem entre os homens em geral, mesmo naqueles que consideramos de mentalidade mais aberta. Todavia, os embaraços ser-nos-ão mútuos.

3 – Estas dificuldades não se constituirão em obstáculo ao diálogo que pretendemos iniciar?

Sem dúvida, mas é possível que dele resulte algum proveito para alguém; pelo menos, tocaremos em um problema que vem sendo considerado tabu por muitos confrades, cuja opinião a respeito, diga-se de passagem, merece de nós a maior consideração. Outros, depois, haverão de enfocar a temática proposta sem tantos constrangimentos.

4 – E poderão fazê-lo, inclusive, com maior propriedade?

Estejamos certos que sim. Outros espíritos, através de outros médiuns, e companheiros encarnados com especialização no complexo campo das emoções humanas mais profundas...

5 – Faremos, então, uma abordagem mais doutrinária que propriamente psicológica?

Sim, embora entre Espiritismo e Psicologia os pontos de interação sejam infinitos: ambos se debruçam sobre o universo desconhecido da alma!

6 – O Espiritismo tem contribuições a fazer à Psicologia?
Sim, e a Psicologia ao Espiritismo. Aliás, todas as ciências concorrem para o conhecimento integral da Verdade, de cuja luz nós ainda nos encontramos muito distantes.

7 – O senhor acredita que o Espiritismo tenha a palavra definitiva?...
Ninguém sobre a Terra, e nos círculos espirituais próximos a ela, é detentor da palavra definitiva em qualquer área do conhecimento. À exceção do Cristo, que há mais de dois mil anos, honrou a Terra com a sua Divina Presença, todos nos movimentamos dentro da relatividade das concepções que nos são peculiares.

8 – A palavra definitiva não está em Kardec?
A palavra definitiva está em Jesus! A revelação do amor é algo definitivo, mas a da Verdade, no estágio evolutivo em que a humanidade se encontra, comporta questionamentos através dos quais ela própria – a Verdade – torna-se sempre mais abrangente.

9 – Quer dizer que o homem já tem conhecimento bastante do que lhe é mais essencial – o amor?
O amor é uma luz de brilho invariável; ao passo que a Verdade é luz de esplendor gradativo, que, quando se faz muito intenso, pode ofuscar a visão...

10 – O amor, por si só, é suficiente para que o espírito alcance a perfeição, transcendendo a sua limitada condição humana?

"Deus é Amor"! Por que será que o apóstolo não O definiu como sendo a Verdade?!

11 – Não devemos progredir em amor e sabedoria?

Devemos, não obstante os que avançam apenas em intelectualidade, esquecendo o sentimento, não comungam com o Criador. O amor está acima da Verdade! Se não ama, ninguém é verdadeiramente sábio.

12 – Insisto: somente pelo conhecimento da Verdade, o homem é incapaz de chegar a Deus?

Com o conhecimento da Verdade pode-se chegar até a porta do Reino Divino, mas somente o amor será capaz de descerrá-la!...

13 – Para Deus, então, o amor é o caminho?

Para se chegar a Deus, o amor é o único caminho, do qual a Verdade não passa de estrada adjacente.

14 – Por que nós, os homens, temos preferido, quase sempre, o caminho mais longo?

Esta é uma pergunta para a qual, infelizmente, não disponho de resposta satisfatória.

15 – Alguns espíritos, desde o princípio, escolheram o caminho do amor?
Penso que raríssimos. Nesse sentido, o único de que temos conhecimento é Jesus Cristo, que fez a sua evolução em linha reta.

16 – Existirá um vínculo entre Mediunidade e Sexualidade?
A condição sexual em que o espírito estagia, no corpo ou fora dele, é transitória. A Mediunidade se inter-relaciona antes com a sensibilidade, ou seja, com o universo das percepções intelecto-morais pertinentes ao espírito, desenvolvidas em suas múltiplas experiências encarnatórias.

17 – A mediunidade – essa ou aquela faculdade mediúnica – independe da condição sexual em que o espírito se revele em determinada encarnação?
Independe, porque, repetimos, essa condição sexual, seja ela qual for, é sempre transitória. O espírito não tem sexo, pelo menos não como o entendemos – está na questão 200, de O Livro dos Espíritos! Mas o espírito, é bom que se frise, não é assexuado – coisa alguma na Criação é assexuada!

18 – O que significa "o espírito não tem sexo"?
Sexualmente, ele não se define – a sua natureza é como a natureza do Criador!

19 – A concepção de Deus-homem?...
É uma concepção machista e primitiva, ultrapassada como a ideia antropomórfica de Deus.

20 – Jesus, no entanto, a Ele se refere como sendo nosso "Pai"...
Numa sociedade patriarcal, os homens não seriam capazes de conceber Deus de outra maneira – os homens O fizeram à sua imagem e semelhança! Como o povo daquela época haveria de estar preparado para revelação de caráter mais transcendente? Ainda hoje não existem os que se escandalizam, e gritam anátemas, quando nos referimos a Deus como sendo Pai e Mãe?!

21 – Não seria, talvez, porque a figura masculina do pai encerra em si, ou carrega consigo, o princípio da vida biológica em seu próprio corpo?
Sim, também, mas não se pode esquecer que o princípio da vida biológica que o pai encerra e transmite não se define do ponto de vista sexual, ou seja: o espermatozóide não é macho nem fêmea – tampouco o óvulo!...

22 – Eva nasceu de Adão...
E ambos nasceram de Deus! No simbolismo bíblico, Adão era hermafrodito! Adão foi pai e mãe de Eva...

23 – Deus, portanto?...
Não poderia tirar de Si, o que em Si não existisse e não fosse!

24 – O próprio nome "Adão"...
Segundo o Talmud e o Zohar, se traduz englobando macho e fêmea: "A fêmea estava atada ao lado do macho, e Deus mergulhou o macho em profundo torpor e ele ficou estendido sobre o terreno do Templo. Então, Deus separou-a dele e paramentou-a como uma noiva".

25 – Quando os Espíritos disseram a Kardec que o espírito não tem sexo como, de hábito, se o entende?...
A resposta dos Espíritos Superiores tem muito mais profundidade e abrangência. Vejamos que eles disseram: "... porque os sexos dependem da constituição orgânica"!

26 – Indagados na questão 202: "Quando somos espíritos, preferimos encarnar num corpo de homem ou de mulher?"...
Responderam: "Isso pouco importa ao espírito; depende das provas que ele tiver de sofrer".

27 – "Pouco importa"?...
Ao espírito, sim; ao homem desencarnado, nem sempre...

28 – Mas o espírito não é o homem desencarnado?...

Não, em essência, não. O espírito é o espírito! Repetimos: o espírito não é macho nem fêmea – vive experiências transitórias na masculinidade e na feminilidade...

29 – Nas Esferas Superiores?...
As características, notadamente as morfológicas, que distinguem um espírito do outro se sutilizam, até que, por completo, desapareçam!

30 – Por que ora o senhor grafa a palavra espírito com E maiúsculo, ora com e minúsculo?
Com E maiúsculo para significar o Espírito em seu estado natural, ou de elevação; com e minúsculo para me referir ao espírito de um modo geral – ao espírito comum, encarnado ou desencarnado.

31 – Existem apenas dois tipos sexuais, o masculino e o feminino?
É evidente que não. A própria natureza nos ensina a respeito: existem espécies de plantas e animais (peixes, insetos, etc.) que são hermafroditas!

32 – Dir-nos-ia algo sobre o ser hermafrodito?
Hermafrodito, filho de Hermes e Afrodite. Uma ninfa, Salmácis, apaixonou-se por ele na adolescência; ele a rechaçou em suas investidas... Ela não desiste e se esconde e, quando o jovem se despe para banhar-se nas águas de

um lago, a ninfa o agarra e prende-se ao seu corpo. Constitui-se um novo ser de natureza dupla!

33 – A Mitologia?...
A Mitologia de todos os povos encerra grandes verdades – a religião é oriunda da Mitologia! O ser hermafrodito, ou andrógino, macho e fêmea, é uma figura que comparece, recorrentemente, na cultura mitológica de toda a antiguidade.

34 – Além da Mitologia Grega, poderia citar-nos outros exemplos?
Na Babilônia, por exemplo, o deus Lua Sin era evocado: "Ó, Mãe-Útero, geradora de todas as coisas; Ó, Piedoso Pai, que tomou sob os seus cuidados o mundo todo". Nos mitos chineses, T'ai Yuan, a mulher sagrada, conjugava Yang – o princípio masculino – e Yin – o princípio feminino. No Hinduísmo nos deparamos com Shiva e Shakti, deuses que, na cosmogênese hindu, constituem, no início, um só corpo, ou um só deus chamado Ardhanarisha, o "Senhor Meio Mulher"!...

35 – Os teosofistas, os estudiosos da Cabala...
De um modo geral, as chamadas "ciências de iniciação" do Oriente admitiam, como admitem, a tese da androgenia. Helena Blavatsky, no terceiro volume de sua obra,

A Doutrina Secreta, escreveu: "... seja qual for a origem atribuída ao homem, a sua evolução se processou na seguinte ordem: 1º) – ele foi sem sexo, como o são todas as formas primitivas; 2º) – depois, por uma transição natural, converteu-se em um 'hermafrodita solitário', um ser bissexual; 3º) – deu-se finalmente a separação e ele se tornou o que hoje é".

36 – O assunto é vasto e complexo!
E precisa ser estudado com seriedade, sem preconceito e dogmatismo de qualquer natureza, porque toca a essência última do ser!

37 – Lamento que, como médium, eu não ofereça ao senhor recursos de conhecimento para tanto...
Nos recursos a que você se refere, ambos somos limitados; todavia, outros companheiros mais habilitados haverão de surgir à liça – médicos, psicólogos, sexólogos, antropólogos... O nosso trabalho, singelo, não pretende esgotar o assunto. Inclusive, é possível que muitas de nossas colocações não estejam sendo feitas com a devida clareza e precisão, para o que, antecipadamente, pedimos escusas.

38 – Estou aqui com o livro O Poder do Mito, de Joseph Campbell – é uma obra interessantíssima!
Permaneço atento à leitura que você vem efetuando

dela e, por assim dizer, também usufruindo das informações coligidas pelo eminente pesquisador, já desencarnado.

39 – Bill Moyers, seu entrevistador, pergunta: "As histórias mitológicas apontam efetivamente para o caminho da vida espiritual?"
Transcrevamos a sua resposta. "Sim, você precisa de uma chave. Você precisa de um guia-mapa de alguma espécie, e eles estão todos aí, à nossa volta. Mas não são todos iguais. Alguns falam apenas dos interesses deste ou daquele grupo fechado, deste ou daquele deus tribal. Outros, especialmente aqueles que se oferecem como revelações da Grande Deusa, mãe do universo e de nós todos, ensinam compaixão por todos os seres vivos. Aí você chega também a avaliar a santidade da terra, em si, porque ela é o corpo da Deusa. Ao criar, Jeová cria o homem a partir da terra, do barro, e sopra vida no corpo já formado. Ele próprio não está ali, presente, nessa forma. Mas a Deusa está ali dentro, como continua aqui fora. O corpo de cada um é feito do corpo dela. Nessas mitologias dá-se o reconhecimento dessa espécie de identidade universal".

40 – Para nós, o Espiritismo é a chave...
Sim, a chave que, através da Fé Raciocinada, possibilita-nos abrir qualquer porta de acesso à compreensão da Verdade e da Vida – não obstante, para utilizá-la com acerto, carecemos de coragem e bom senso!

41 – Sem receios?...

...e preconceitos! Infelizmente, o fanatismo religioso, os interesses imediatistas, enfim, o império da temporalidade a que o homem secularmente se submete, o tem conservado em cruel cativeiro. Cabe ao Espiritismo quebrar-lhe as algemas e libertá-lo, para que a sua mente se abra para o Universo!

42 – Campbell diz com grande beleza: "Há uma página dupla, no atlas, que mostra nossa galáxia no meio de muitas galáxias, e no meio da nossa galáxia, o sistema solar. Aí você tem uma ideia da magnitude desse espaço que nós agora estamos começando a explorar. O que essa página dupla me mostra é a visão de um universo de inimaginável magnitude e inconcebível violência. Bilhões e bilhões de tremendas fornalhas termonucleares dispersando-se umas das outras. Cada fornalha termonuclear é uma estrela e o nosso sol é uma delas. Muitas delas, na verdade, estão se rompendo em pedaços, espalhando pelos mais longínquos rincões do espaço a poeira e o gás a partir dos quais, neste instante, estão nascendo novas estrelas, com planetas girando ao seu redor. E então, de distâncias ainda mais remotas, além dessas estrelas, chegam murmúrios, micro-ondas que são ecos da maior explosão cataclísmica de todas, ou seja, o Big Bang, a grande explosão da criação, que, de

acordo com certos cálculos, deve ter ocorrido há cerca de dezoito bilhões de anos.

É aí que estamos, meu jovem. E, ao tomar consciência disso, você se dá conta da sua real importância, não é mesmo? Uma minúscula micropartícula no meio dessa grande magnitude. Depois, é preciso viver a experiência de que você e isso tudo são, de algum modo, uma coisa só, e você participa de tudo isso!"

O texto, de fato, de grande beleza e substância, faz-nos refletir no quanto nós, seres humanos, temos nos amesquinhado diante da vida e, consequentemente, amesquinhado a própria vida, esquecidos de nossa origem e destinação.

43 – Recordo-me de Augusto dos Anjos, em Parnaso de Além-Túmulo, psicografia de Chico Xavier, no poema "Vozes de Uma Sombra":

"Donde venho? Das eras remotíssimas,
Das substâncias elementaríssimas,
Emergindo das cósmicas matérias.
Venho dos invisíveis protozoários,
Da confusão dos seres embrionários,
Das células primevas, das bactérias.

Venho da fonte eterna das origens,
No turbilhão de todas as vertigens,

Em mil transmutações, fundas e enormes;
Do silêncio da mônada invisível,
Do tetro e fundo abismo, negro e horrível,
À infinita desgraça de ser homem (...)"

Não ouso corrigir o poeta – quem sou eu?! – mas creio que, no último verso, ele deveria ter escrito: "À infinita ventura de ser homem"!

44 – Ele, no entanto, concluiu o poema de maneira otimista:

"(...)
Homem! Por mais que a ideia tua gastes,
Na solução de todos os contrastes,
Não saberás o cósmico segredo.

E apesar da teoria mais abstrusa
Dessa ciência inicial, confusa,
A que se acolhem míseros ateus,
Caminharás lutando além da cova,
Para a Vida que eterna se renova,
Buscando as perfeições do Amor em Deus"!

O poema é uma síntese de tudo o que, implicitamente, vimos conversando – a extraordinária jornada do "princípio espiritual"!

Carlos A. Baccelli *ditado por* Odilon Fernandes

45 – Ainda em Parnaso, escreve Castro Alves em página de rara inspiração, intitulada "Marchemos!":

*"Tudo evolui, tudo sonha
Na imortal ânsia risonha
De mais subir, mais galgar;
A vida é luz, esplendor,
Deus somente é o seu amor
O Universo é o seu altar"!*

Agora que estamos no terreno das citações, vejamos as explicações de Calderaro a André Luiz, no capítulo "A Casa Mental", do livro No Mundo Maior: "... aprendemos que o organismo periespirítico que os condiciona em matéria mais leve e mais plástica, após o sepulcro, é fruto igualmente do processo evolutivo. Não somos criações milagrosas, destinadas ao adorno de um paraíso de papelão. Somos filhos de Deus e herdeiros dos séculos, conquistando valores, de experiência em experiência, de milênio a milênio. Não há favoritismo no Templo Universal do Eterno, e todas as forças da Criação aperfeiçoam-se no Infinito. A crisálida de consciência, que reside no cristal a rolar na corrente do rio, aí se acha em processo liberatório; as árvores, que por vezes se aprumam centenas de anos, a suportar os golpes do Inverno e acalentadas pelas carícias da Primavera, estão conquistando a memória; a fêmea do tigre, lambendo os filhinhos recém-natos, aprende rudimentos do amor; o símio, guinchando, organiza a faculdade da palavra. Em verdade, Deus criou o mundo, mas nós nos conservamos longe da obra completa. Os seres que habitam o Universo ressumbrarão suor por muito tempo, a aprimorá-lo. Assim também a individualidade. Somos criação do Autor Divino e devemos aperfeiçoar-nos integralmente".

46 – Isto posto, poderíamos dialogar mais objetivamente sobre o assunto a que nos propomos nesta obra – Mediunidade e Sexualidade?
Sem nenhum problema.

47 – Pretendemos nos dirigir ao leitor espírita em geral, facilitando-lhe, ao máximo, o entendimento de tão controvertida e delicada questão.
Formule as perguntas.

48 – O senhor vê impedimento, de alguma ordem, ao exercício da mediunidade no sensitivo às voltas com conflitos de ordem sexual, seja ele homem ou mulher?
Não, não vejo, mesmo porque não há ninguém sobre a Terra, nem nas proximidades dela, que se encontre totalmente isento de conflitos de tal natureza.

49 – Aos espíritos incomoda o fato desse ou daquele médium ser bi ou homossexual?

Carlos A. Baccelli *ditado por* Odilon Fernandes

O que nos importa é a condição moral do medianeiro – e o que deve importar ao medianeiro é a condição moral dos espíritos que por ele se expressam! Entre os espíritos comunicantes igualmente existem os que são bi ou homossexuais!

50 – Mais até que a sua condição intelectual?
Sim, embora o ideal fosse que, como instrumento, o médium procurasse se aprimorar em ambos os aspectos.

51 – Moralidade tem a ver com sexualidade?
O moralismo pode ter, mas a moralidade, não.

52 – O que é a moral?
Fiquemos com a definição que os Espíritos deram a Kardec, na pergunta número 629, de O Livro dos Espíritos: "A moral é a regra para bem se conduzir, quer dizer, para a distinção entre o bem e o mal".

53 – E como se definir moralismo?
O moralismo é apanágio do moralista, ou seja, daquele que dita regras comportamentais para os outros e não para si mesmo – é uma virtude de superfície!

54 – O Espiritismo é uma doutrina moralista?
O Espiritismo, na revivescência do Evangelho do Cristo, é uma doutrina moralizadora.

55 – Em que moral ele se fundamenta?

De Jesus Cristo, que preceitua: "não julgueis para não serdes julgados"; "atire a primeira pedra aquele que estiver sem pecado"; "como é que vedes um argueiro no olho do vosso irmão, quando não vedes uma trave no vosso olho?"...

56 – As doutrinas moralistas?...

São essencialmente fanatizantes e extremistas, responsáveis por inúmeras guerras de extermínio já deflagradas pela Humanidade.

57 – Qual a diferença, no que tange a moral, entre os héteros e os homossexuais?

A conduta dos héteros, em relação a sexo, não raro deixa mais a desejar. Quantos são os que se aventuram fora do compromisso do matrimônio? Seriam eles, os heterossexuais, mais fiéis aos seus parceiros no campo do relacionamento afetivo? Disse-nos o Mestre: "Não cometereis adultério. Eu, porém, vos digo que aquele que houver olhado uma mulher, com mau desejo para com ela, já em seu coração cometeu adultério com ela".

58 – O Cristo destaca o valor da intenção...

Sim, a intenção com que se age é que vincula o ato à responsabilidade maior ou menor, criando a problemática do mérito ou do demérito.

59 – Às vezes, no entanto, a intenção não se consuma...
Por falta de oportunidade e não por falta de vontade – há os que, por anos a fio, esperam por ela...

60 – O mal está mais em quem pensa nele ou em quem o concretiza?
Quem pensa no mal e o concretiza será duplamente penalizado. Allan Kardec, no capítulo VIII de O Evangelho Segundo o Espiritismo, escreveu com precisão: "... naquele que nem sequer concebe a ideia do mal, já há progresso realizado; naquele a quem essa ideia acode, mas que a repele, há progresso em vias de realizar-se; naquele, finalmente, que pensa no mal e nesse pensamento se compraz, o mal ainda existe na plenitude da sua força".

61 – Entre um médium hétero e um homossexual, qual o senhor escolheria?
Para mim, a sua condição sexual seria irrelevante. Sinceramente, eu me interesso mais pelo que está no coração das pessoas. Mediunidade com Jesus não trabalha com a sexualidade dos indivíduos, mas, sim, com os seus sentimentos e valores!

62 – Para outros espíritos também, é irrelevante?...
Acredito que sim, pelo menos para aqueles que não se encontram despojados de autocrítica e, desde muito, já

deixaram cair as pedras que traziam nas mãos com a intenção de atirá-las a esmo...

63 - Trabalhar mediunicamente com um médium com conflitos sexuais não seria endossar-lhe a conduta?

Por ser amigo de um delinquente, significa que você deve ser corresponsabilizado pelas suas atitudes? O médico, para cuidar do doente, não necessita de acamar-se com ele. O respeito às diferenças é o alicerce da fraternidade legítima!

64 - A homossexualidade é uma doença?

A imperfeição espiritual é uma doença. Desde 1990, a OMS - Organização Mundial da Saúde - deixou de considerar a homossexualidade uma doença!

65 - Seria um desvio de conduta? Uma perversão?

Desvio de conduta é o nosso afastamento voluntário dos caminhos que conduzem ao Bem! No Brasil, o Conselho Federal de Psicologia não considera o homossexualismo como doença e nem perversão.

66 - O médium homossexual é melhor instrumento do que um médium hétero, ou do que um bissexual?

Não necessariamente, e não pela sua bissexualidade, ou por sua homossexualidade.

67 – Entre os médiuns há preconceito em relação à sexualidade dos espíritos?

Intriga-nos, por exemplo, o fato de um médium homem resistir em conceder passividade[1] a um espírito feminino!

68 – O médium feminino parece não revelar esse tipo de problema. Por quê?

Por natureza, a mulher é mais passiva, mais receptiva – ela carrega em seu ventre, indistintamente, o filho macho ou fêmea – no caso de gravidez múltipla, possíveis filhos machos e fêmeas! No campo mediúnico, ela nos parece, pois, figurar o psiquismo ideal!...

69 – Nas reuniões mediúnicas, os espíritos de homossexuais, muitas vezes, têm sido rejeitados pelo psiquismo dos médiuns com marcantes características masculinas...

Preconceito e/ou receio de comprometimento que, a rigor, não existe. Falta de neutralidade – antes de incorporar o espírito, o médium carece de incorporar a sua função de intérprete entre os Dois Planos da Vida!

70 – O médium deveria operar, assim, com maior neutralidade, não é?

---

[1] Passividade: passagem ou comunicação – Nota da Editora

Sem dúvida, porquanto, a mediunidade, em si, é uma faculdade andrógina.

71 – Interessante esta definição: "a mediunidade, em si, é uma faculdade andrógina"... Com certeza, gerará polêmica!
A faculdade intelectual é ativa e passiva – o homem aprende e ensina... Todas as coisas vivem de dar e receber! Quem mais ama é justamente quem menos cogita de ser amado!...

72 – Como interpretar a palavra de Jesus, anotada por Mateus, capítulo 19, versículo 12: "Porque há eunucos de nascença; há outros a quem os homens fizeram tais; e há outros que a si mesmos se fizeram eunucos, por causa do reino dos céus. Quem é apto para admiti-lo, admita."?
Vamos por partes: "eunucos de nascença" – que assim foram gerados... Depreendemos que tal condição seja, talvez, da natureza desses espíritos, salvo, claro, melhor interpretação.

73 – Seria alusão à existência de um terceiro sexo, ou sexo de transição?
É possível!

74 – Não poderia o Mestre estar se referindo ao carma desses espíritos?

A tal respeito, não se pode chegar à semelhante conclusão. No versículo anterior do mesmo capítulo, nos deparamos com a afirmativa: "Nem todos são aptos para receber este conceito, mas apenas aqueles a quem é dado". Parece-nos que essa condição – "eunucos de nascença" – seja, inclusive, anterior a qualquer carma adquirido.

75 – Então, é possível que existam espíritos eunucos por natureza, que tenham sido criados assim?
Todos nós fomos criados da mesma forma e nos diferenciamos – mais acertado seria dizer que tais espíritos se fizeram assim!

76 – "Nos diferenciamos"?...
Fixamo-nos mais nesse ou naquele tipo de sexualidade! A transição de um polo a outro não acontece de maneira abrupta – não se é somente homem ou mulher – entre uma condição e outra, existem, naturalmente, estágios intermediários! O comportamento homossexual está presente em muitas espécies animais – reflitamos!

77 – Para a evolução do espírito, o estágio na homossexualidade é uma condição necessária?
Psiquicamente, sim.

78 – O que quer dizer com "psiquicamente"?
Que ele não precisa ser ativo, ou estar em atividade em

sua condição homossexual – refiro-me, é óbvio, à prática homossexual!

79 – Ele não necessita exercer a sua homossexualidade?
No que se refere à vivência sexual, não. Um homem pode amar outro homem e uma mulher amar outra mulher, sem que cogitem de um relacionamento que os rotule.

80 – Noto que o senhor é muito cauteloso com certas respostas...
O assunto é complexo e não tenho respostas definitivas para ele.

81 – "... há outros (eunucos) a quem os homens fizeram tais"... Quem são eles?
Os que foram induzidos, forçados, corrompidos, vítimas de violência sexual.

82 – Pedofilia?...
Sim, mas não apenas.

83 – Como a pedofilia é considerada pelos espíritos?
Trata-se de um crime que, evidentemente, deve ser punido com os rigores da lei – referindo-nos, é óbvio, aos seus agentes.

84 – Há um caso rumoroso na imprensa, envolvendo

uma celebridade no mundo da música...
Temos acompanhado o noticiário.

85 – O que o senhor nos diz?
Sem pretender efetuar nenhum julgamento, e atendo-me ao noticiário da imprensa, os pais da vítima, um adolescente, venderam-no por alguns milhares de dólares; deveriam, igualmente, estar no banco dos réus...

86 – O homossexual não é um pedófilo?
Geralmente, não. O pedófilo, sim, é doente e carece tratamento – não apenas reclusão carcerária!

87 – Responder a estas questões o constrange?
Digamos que, de público, eu nunca tenha sido sabatinado assim antes. Todavia, precisamos nos abrir ao diálogo franco e reconhecer no assunto um problema pertinente à condição humana.

88 – Por que os pais do anônimo adolescente mencionado acima, igualmente deveriam responder a processo?
Com base no que está sendo divulgado, sabiam a quem estavam entregando o filho – foram coniventes!

89 – Qual o maior problema da homossexualidade?
A prostituição, a promiscuidade, a infidelidade afetiva, a degradação.

90 – O senhor acha que uma pessoa pode realmente amar a outra do mesmo sexo?

Pode, e somente "o amor cobre multidão de pecados"! Citemos Paulo, em sua Epístola aos Romanos, capítulo 14, versículo 14: "Eu sei, e disso estou persuadido no Senhor Jesus, que nenhuma cousa é de si mesma impura, salvo para aquele que assim a considera; para esse é impura"!

91 – "... nenhuma cousa é de si mesma impura..."?

"... salvo para aquele que assim a considera...", e não retrocede em suas intenções de levá-la adiante.

92 – Se eu não considero o que estou fazendo impuro?...

Para você, não o será.

93 – Eu não terei culpa?

O grau de responsabilidade é proporcional à consciência que se tenha do erro cometido – a intenção do mal é o mal verdadeiro!

94 – Estamos num terreno movediço...

Estamos, mas precisamos avançar.

95 – E se não é impuro para mim, mas é impuro para outrem? Estou me referindo à homossexualidade?

Passará a ser impuro para aquele que assim não o considera, porque o direito do homem termina onde justamente começa o de seu semelhante.

96 – Por quê?

Porque ninguém pode se tomar como medida para quem quer que seja – ninguém tem o direito de se impor ao discernimento do próximo! Submeter alguém moralmente para, em seguida, submetê-lo fisicamente é a pior das violências.

97 – "... e há outros que a si mesmos se fizeram eunucos, por causa do reino dos céus." O que significa?

Antes que nos proponhamos à resposta, recorramos a Pedro, no capítulo 1, versículo 20, de sua Segunda Epístola: "... sabendo, primeiramente, isto, que nenhuma profecia da Escritura provém de particular elucidação...". Acreditamos que o Mestre esteja se referindo àqueles que a tudo são capazes de renunciar, renunciando a si mesmos, por amor ao reino dos céus – são aqueles que de tudo se despojam, a fim de alcançarem o objetivo supremo da vida, na suprema vitória sobre as ilusões do caminho! Jesus Cristo, sem dúvida, é o exemplo máximo dessa espécie de completa abnegação: "Porque eu desci do céu não para fazer a minha própria vontade; e, sim, a vontade daquele que me enviou"!

98 – Há quem logre semelhante desprendimento?

É o que todos, sinceramente, devemos aspirar, nele concentrando, gradativamente, os nossos esforços, sem jamais desistir de depurar os nossos sentimentos uns em relação aos outros, para que o amor, um dia, à feição de preciosa gema, brilhe sem jaça em nossos corações!

99 – Não caberia ainda – desculpe-me – uma outra interpretação?
Qual?

100 – "... e há outros que a si mesmos se fizeram eunucos, por causa do reino dos céus". Tornarem-se, voluntariamente, assexuados...
Não existe criatura alguma assexuada. O sexo, sem dúvida, é a forma mais primitiva de amor, mas é amor, e não há quem viva sem amor.

101 – A capacidade de amar de Jesus?...
Amava, indistintamente, a João, "o discípulo amado", e a Madalena, a Lázaro e a Marta e Maria, suas irmãs... O amor de Jesus é universal! Difícil imaginá-lo particularizando o seu afeto – nele, o amor é masculino e feminino!

102 – O que, portanto, na condição sexual de alguém, diz menos respeito à sua própria sexualidade?
Os seus órgãos genitais.

103 – O médium que se prevalece de suas faculdades para envolver afetivamente quem deseja possuir?...
Será responsabilizado pela ilicitude de seus propósitos.

104 – O médium tem fácil acesso às vidas passadas das pessoas, mesmo daquelas de seu mais estreito relacionamento?
Não! Há muita mistificação consciente nesse campo – vulgarização do que é sagrado!

105 – Os espíritos costumam revelar aos médiuns a vida pretérita dos outros?
Os espíritos superiores não costumam fazê-lo e sequer especulam a respeito.

106 – E os espíritos de natureza inferior?
Concorrem para que os medianeiros invigilantes colimem os seus objetivos escusos, que haverão de lhes custar muito caro.

107 – Há espíritos que participam das aventuras amorosas ou, sendo mais claro, das leviandades sexuais dos médiuns?
Sim, vampirizando-os, inclusive! Participam e chegam a incentivá-los, não raro criando oportunidade para tanto.

108 – Nesse sentido – do envolvimento afetivo-sexual – há médiuns que mentem conscientemente?

Dominados pelo desejo, não conseguem se controlar. São médiuns que padecem de processos obsessivos dolorosos, dos quais não se libertarão facilmente. Porém, tal interesse subalterno, por parte de certos médiuns, não se limita ao âmbito do prazer de natureza física – igualmente ambicionam posses materiais!...

109 – Como o dirigente de uma sessão mediúnica deve tratar os médiuns homossexuais?

Como trata os heterossexuais, ou seja: com a naturalidade e a neutralidade possíveis! Repetimos: o que importa é a conduta moral do médium e não a sua condição sexual!

110 – E se o dirigente da sessão for homossexual?

Para nós, sinceramente, não faz a menor diferença; claro, desde que ele não misture a sua vida pessoal com as suas atribuições doutrinárias. Seja qual for a sua condição sexual, qualquer pessoa carece de se fazer respeitar, respeitando.

111 – O que o senhor acha, por exemplo, do médium homossexual se trajar de maneira, digamos, inadequada?

Para que evidenciar a sua diferença? Você perguntou "se trajar de maneira inadequada", quase que constituindo uma agressão aos olhos das pessoas... Agora, vestir-se bem é direito de quem pode e acha que deve. O médium, aliás, o espírita em geral, deveria se preocupar em cultivar hábitos mais simples. A ostentação, até mesmo na vestimenta, não é própria de quem mais se preocupa com a sua vida interior.

112 – O que o senhor tem a dizer do médium que frequenta boates sexualmente mais liberais?

É possível que esteja extrapolando – não por se tratar de uma boate liberada, mas por se tratar de ambiente não compatível com as suas aspirações de ordem espiritual. Ninguém deve expor a sua sexualidade como quem expõe mercadoria numa feira!

113 – E se frequentar barzinhos nas madrugadas, na expectativa de baladas?

A situação é quase idêntica, e a resposta também.

114 – Se o faz somente de quando em quando?...

Cuidado! Diz antigo provérbio que "quem cede o pouco, acaba cedendo o muito". Existem homossexuais que fazem questão de discriminar a si mesmos: na irreverência, no vocabulário, nos trejeitos...

115 – Se ele não conviver com os seus iguais, ele não os estará discriminando?

Conviver com é uma coisa; conviver como é outra bem diferente!...

116 – Cada qual não tem o direito de ser o que é?
Tem, desde que, a pretexto de liberdade, não pretenda impor-se por parâmetro comportamental a quem seja.

117 – Voltemos à questão: "... e há outros que a si mesmos se fizeram eunucos, por causa do reino dos céus". O homem deve se castrar sexualmente? O reino dos céus tem este preço?...
É uma questão de foro íntimo, que não incentivamos e nem deixamos de incentivar.

118 – Por quê?
Virtude é algo que não se prescreve para os outros.

119 – Todavia, sem se disciplinar...
Todo esforço nesse sentido é louvável, mas deve ser consciente e de livre e espontânea vontade, mesmo porque aparência de virtude não é virtude.

120 – Contrariando as suas tendências, o homossexual deve se casar com alguém do sexo oposto?
Se ele assim o deseja... Convém, no entanto, agir com honestidade em relação à pessoa escolhida. Casar-se, como muitos se casam, apenas para manter as aparências, é equívoco de maiores consequências cármicas. Ninguém deve gracejar com o sentimento alheio.

121 – E se o homem, ou a mulher, concorda com a vida homossexual paralela do cônjuge?
A semeadura é livre, porém, a colheita é obrigatória. Em certas atitudes, incompreensíveis para nós, pode haver nobreza de espírito em forma de compaixão.

122 – O senhor não teria uma resposta mais direta para algumas questões?
Não, porque a vida pessoal é pertinente à consciência de cada um. Não podemos assumir por alguém a responsabilidade que lhe compete.

123 – O senhor acha que desejando uma palavra definitiva dos espíritos?...
Os homens estão querendo se eximir! Quantos são os que intentam se justificar, alegando que tal ou qual palavra não está escrita na Lei? Quando nos convém, sabemos ler o que está dito nas entrelinhas, não é assim?!...

124 – Na lei dos homens, ou na Lei de Deus?
Em ambas.

125 – Por que nos homossexuais a mediunidade se apresenta mais aguçada?
Talvez porque, sem compromissos familiares mais amplos, disponham de mais tempo para se dedicarem ao seu cultivo.

126 – Outros fatores igualmente podem concorrer para tal fenômeno?
Sim, os mais variados. Por exemplo: o médium homossexual costuma lidar com maiores conflitos emocionais, o que lhe ocasiona um maior exacerbar da sensibilidade. Não olvidemos que muitos processos mediúnicos começam pela obsessão!

127 – Não seria, ainda, porque ele traz o passado muito presente em sua vida?
Também.

128 – É verdade que, conforme perguntamos anteriormente, nos médiuns homossexuais a mediunidade se apresenta mais aguçada?
A esse respeito, não se pode generalizar. Temos exemplos de médiuns heterossexuais que foram notáveis instrumentos para os desencarnados – Paulo de Tarso foi um deles!

129 – Mas as pitonisas não se casavam; os profetas, em maioria, eram homens solitários; os sacerdotes que oficiavam nos templos; os iniciados egípcios e hindus; os monges....
Honoré de Balzac, em Séraphîta, inclusive se apoiando nas teorias teosofistas de Swedenborg, um dos precursores da Doutrina Espírita, afirma que, para ele, "o andrógino é o

ser fantástico que faz a ligação entre o céu e a terra, entre o divino e o mundano; um ser que reúne em si todas as qualidades humanas, um ser que unifica"!

130 – Admiro a coragem do senhor, dispondo-se a tratar de assunto tão controvertido...

... e tão humano, meu filho, tão humano!

131 – O médium homossexual que enfrenta discriminação em determinado grupo?...

Não há nada que o impeça de frequentar outro, sem efetuar acusações sobre os companheiros que não foram capazes de aceitá-lo e compreendê-lo.

132 – E se, de grupo em grupo, a experiência discriminatória for se repetindo?

Reúna-se com os que sejam mais fraternos e comece, com os seus próprios recursos, uma tarefa humilde. O Cristo não rejeita ninguém! Tal entrave será um teste para o seu idealismo.

133 – E se ele se sentir sem condições de fundar um grupo?

Não há necessidade de que ele funde um grupo – há necessidade de que ele trabalhe! Os que permanecem na expectativa de socorro, não haverão de perguntar por suas credenciais. Para quem tenha fome, a procedência do pão é irrelevante!

134 – O que entender por "o amor cobre multidão de pecados"?
Abençoada chama de uma vela é suficiente para fazer-se caminho na escuridão.

135 – Pode significar que não existe pecado naquilo que se faz com amor?
No verdadeiro amor não existe pecado algum!

136 – Se alguém diz: "Não faço o mal, mas também não faço o bem"?...
Ele ainda não alcançou o sentido do bem genuíno. Não fazer o bem, é facilitar as coisas para o mal. Você pode não ter ateado fogo numa casa, mas se você não ajuda a apagá-lo terá responsabilidade no incêndio que a destrói e se propaga...

137 – E se repete: "Faço mais bem do que mal"?...
Enquanto nele subsistir um traço de treva, a luz não brilhará com todo o seu esplendor!

138 – A prática do bem justifica a prática esporádica do mal?
É evidente que não. Isto é um sofisma, e dos piores. O

muito bem que alguém faça não deve servir de endosso ao pouco mal que ele se permite praticar.

139 - Todavia, melhor fazer o bem de quando em quando...
... do que apenas e tão somente o mal?! É claro!...

140 – Os que se prevalecem da caridade para corromper sexualmente alguém?...
Podem estar fazendo tudo, menos caridade! Caridade é amor, e amor é desinteresse!

141 – Mas, e se a pessoa age assim por carência?...
Toda falta possui os seus atenuantes ou agravantes. O julgamento é da Lei! Está registrado em Crônicas, capítulo 28, versículo 9: "... o Senhor esquadrinha todos os corações e penetra todos os desígnios do pensamento"!

142 – A prática sexual sem amor?...
Seja ela de que natureza for, gera maior compromisso de natureza cármica. Uma ressalva: estamos tão distantes do verdadeiro amor, que deveríamos falar em respeito, consideração, fraternidade – na verdade, o amor ainda não passa de uma palavra em nossos lábios!

143 – E num relacionamento sexual fortuito?
O que é fortuito para um, pode não ser fortuito para

outro! Em tudo quanto nós façamos, o outro, no sentido de não lhe causar o menor prejuízo, deve ser a nossa maior preocupação!

144 – No homossexualismo sempre existe obsessão?
Sempre, não!

145 – Todavia, pode existir um componente obsessivo?
Tanto quanto na heterossexualidade, pode!

146 – Como identificar esse componente obsessivo?
No pensamento fixo em torno do prazer que se persegue de maneira inconsequente.

147 – A promiscuidade?...
É obsessão, das mais graves – vampirismo dos mais lamentáveis!

148 – Por que, em termos de sexo, certos homens parecem insaciáveis?
Porque não amam! No fundo, eles estão à procura de ser amados, sem que se sintam no dever de amar! O sexo desvairado é o disfarce de uma carência!

149 – O que o senhor tem a dizer de dois homossexuais que decidem morar juntos?
É um direito que lhes assiste, mas, se tomarem tal decisão, que procurem se respeitar!

150 – O senhor é contra a legalização da união homoafetiva?
Se ainda estivesse por aí, encarnado, talvez fosse. Hoje, com a visão mais ampliada da vida, sou favorável!

151 – Talvez fosse por quê?
Qual ocorre a muita gente, por receio de externar a minha real opinião – o que os outros pensam de nós ainda nos incomoda mais do que o que Deus possa pensar a nosso respeito!

152 – O senhor não me parece assim – aliás, o senhor não é assim!
Quem sabe?!

153 – Hoje, estando desencarnado, como vê a questão?
Como medida salutar, para coibir, inclusive, a propagação das doenças sexualmente transmissíveis.

154 – Apenas por esse motivo?
Os que querem permanecer juntos, passando a ter uma união estável, demonstram que entre eles existe mais do que tão somente desejo de sexo.

155 – A legalização da união homossexual no mundo?...
É uma questão de tempo.

156 – Não é uma imoralidade?

Imoralidade para os pais que não têm um filho homossexual, para os avós que não possuem um neto nas mesmas condições, para os que não se casam e assim vivem na clandestinidade...

157 – Um filho ou uma filha homossexual pode ser uma prova para os seus pais?

Sem dúvida, como um filho ou uma filha heterossexual costuma ser. Quantas crianças são geradas sem o menor senso de responsabilidade? Quantos filhos criados pelos avós, porque foram abandonados pelos pais? Quantos irmãos consanguíneos apenas por parte de pai, ou de mãe?...

158 – O que o senhor diria aos pais de um filho homossexual?

Que o aceitem e que o amem! Jamais o vejam como uma aberração! Para que se quebre, o orgulho humano carece de receber muitos golpes em sua coluna dorsal... E, depois, lembremo-nos sempre de que a Terra é um grande hospital, no qual enfermeiros e médicos também se revelam necessitados de tratamento!

159 – Pode ser que, em vidas pretéritas, eles próprios o tenham feito assim?

Quase sempre! De uma maneira ou de outra, quase

sempre! No passado, para não perecer de fome, muitos eram levados a se prostituir – os escravos costumavam ser abusados pelos seus "donos"...

160 – É justo que o encaminhem a tratamento com psicólogos?
Sim, principalmente se ele o desejar.

161 – Que cheguem a trancafiá-lo numa clínica psiquiátrica?
Por esse motivo?! Um absurdo! Raras as clínicas psiquiátricas que se honram!...

162 – Por que, às vezes, a homossexualidade se apresenta ligada ao uso de drogas?
Uma coisa não tem a ver com outra. O homossexual que se droga, assim pode proceder por n causas: rejeição familiar, espancamento, discriminação social, conflitos que, sozinho, não consegue administrar ou superar, baixa autoestima, falta de oportunidade de trabalho...

163 – O uso de drogas pode levar alguém à condição homossexual?
Mais que à condição homossexual, o uso sistemático de drogas pode levar à criminalidade e, praticamente, à perda da experiência reencarnatória – aquele que se droga, anula-se em sua capacidade de aprendizado!

164 – Na opinião do senhor, existem homossexuais de melhor caráter que os héteros?
Sem dúvida. Como existem céticos de melhor caráter que muitos crentes!

165 – A sexualidade do indivíduo tem a ver com o seu caráter?
Não.

166 – O homossexual tem o direito de incentivar a homossexualidade em alguém?
Ninguém tem o direito de querer que os outros sejam como ele é. Jesus nos exorta a sermos perfeitos como perfeito é o nosso Pai celestial! Infelizmente, com exceções poucas, não somos exemplo de vida para ninguém!

167 – Em sua Carta aos Gálatas, Paulo escreveu no capítulo 5, versículo 7: "Porque a carne milita contra o espírito, o espírito contra a carne, porque são opostos entre si"... Não há aí uma condenação implícita?
Condenação não, esclarecimento sim! Está claro que os interesses materiais e os espirituais são interesses que se opõem.

168 – Seria melhor que o homem se abstivesse de todo e qualquer relacionamento sexual?
Abstinência sexual, como se entende no mundo, é

conquista. Em sua Primeira Epístola aos Coríntios, capítulo 7, versículos 8 e 9, disse o Apóstolo da gentilidade: "E aos solteiros e viúvos digo que lhes seria bom se permanecessem no estado em que também vivo. Caso, porém, não se dominem, que se casem; porque é melhor casar do que viver abrasado"!

169 – O Antigo Testamento contém proibições ao homossexualismo...

Como contém, em Deuteronômio, capítulo 18, versículos 10 e 11, proibições à mediunidade: "Não se achará entre ti quem faça passar pelo fogo o seu filho ou a sua filha, nem adivinhador, nem prognosticador, nem agoureiro, nem feiticeiro; nem encantador, nem necromante, nem mágico, nem quem consulte os mortos..."

170 – O Antigo Testamento?...

Carece, em muitos pontos, de ser interpretado, refundido e atualizado, porque, se nos apegarmos à sua letra, em Deuteronômio, capítulo 21, versículos 22 e 23, Jesus é considerado maldito: "Se alguém houver pecado, passível da pena de morte, e tenha sido morto, e o pendurares num madeiro, o seu cadáver não permanecerá no madeiro durante a noite, mas certamente o enterrarás no mesmo dia: porquanto o que for pendurado no madeiro é maldito de Deus..."!

171 – Por este motivo, o corpo de Jesus foi reclamado?
Sim, para que não permanecesse no madeiro durante a noite e, assim, não passasse à história como maldito!

172 – A prática do homossexualismo não termina por conduzir à degradação moral, às vezes de modo imperceptível?
Não necessariamente. Até o hábito de mentir pode, de modo imperceptível, conduzir o homem à completa degradação!

173 – Não obstante, os homossexuais vivem permutando parceiros?...
Esses estão apenas à procura de satisfazer as paixões exacerbadas – em relacionamentos assim, o que existe é tão somente a busca desenfreada do prazer, e não afetividade.

174 – Entre duas pessoas do mesmo sexo, existe mesmo a possibilidade de amor legítimo?
São os seres, ou seja, os espíritos que se amam, e não os seus corpos!

175 – A genitália?...
Interpretemo-la como sendo apenas e tão somente um apêndice do corpo – um órgão de neutralidade, como o fígado, o pâncreas, o pulmão...

176 – O sexo, então, entre os que verdadeiramente se amam é dispensável?
Conforme nós, os humanos, o entendemos, sim! Afetivamente, há quem se satisfaça com um simples abraço!

177 – Seria o chamado "amor platônico"?
Seria o amor cristão!

178 – No êxtase dos místicos haveria algo que pudesse ser relacionado com o orgasmo?
Há um prazer sublimado!

179 – Os espíritos superiores exercem a sua sexualidade?
É óbvio.

180 – Como?...
Exercitando o seu poder criador – plasmando a beleza, desvendando os segredos da Criação, mergulhando mais profundamente em si mesmos...

181 – O ato de criar é sempre comparável a um ato sexual?
Sem necessidade de conjunção de natureza carnal! O artista que concebe uma tela, o poeta que traduz no verso a inspiração, o músico que escreve uma linda partitura – prazeres sublimados, através de êxtases inauditos!

182 – O orador quando fala...
O arquiteto quando desenha, o ator quando interpreta, o cientista quando descobre, o visionário quando sonha, o caridoso quando estende a mão...

183 – Infelizmente para o homem, de maneira geral, o sexo é algo abjeto...
Convém recordar que o sexo é também criação de Deus, e Deus nada cria de abjeto!

184 – O senhor diria que o homossexual, pelo seu comportamento, tantas vezes afrontoso, coopera na distorção interpretativa da sociedade sobre a sua própria condição?
Não resta a menor dúvida. Todavia, igualmente nesse campo, não deixemos de refletir nas sábias palavras do Mestre: "É necessário que venha o escândalo...".

185 – Numa sociedade preconceituosa, moralmente falando como o homossexual poderia se impor, ou se fazer respeitar?
Amando o próximo como a si mesmo!

186 – Não obstante, existem pessoas que parecem não ter o menor amor por si... Como poderão amar alguém?
Estão doentes e necessitam tratamento.

187 – A Espiritualidade é a favor da cirurgia para mudança de sexo?
A Ciência foi dada ao homem para auxiliá-lo em todos os sentidos. Nem todos os problemas devem aguardar ser solucionados pela desencarnação, porque, a rigor, a desencarnação não soluciona os problemas da alma.

188 – Uma resposta mais direta?...
A Ciência é a mão de Deus intervindo em benefício do homem – os problemas do homem pelo próprio homem devem ser equacionados!

189 – Então, é lícito que o homem, ou a mulher, lute por harmonizar o corpo ao seu psiquismo?
Sim! Não se recorre, quando necessário, à prótese ocular, ao transplante de órgãos, ao implante de cabelos, ao braço e à perna mecânicos?...

190 – Não seria mais consentâneo com as Leis Naturais que procurassem harmonizar o seu psiquismo ao corpo?
É uma opção que pertence à livre escolha de quem se vê lutando dentro de semelhante contexto. Em qualquer um dos casos, cabe-nos respeitar a decisão de quem quer que seja – tudo pelo bem e pela felicidade de todos!

191 – No mundo?...

Há mais gente lutando para harmonizar o psiquismo ao corpo que tem, que para adequar o corpo ao seu psiquismo!

192 – Continua assim além da morte?
Nos círculos espirituais mais próximos, sim.

193 – Então, a primeira luta do espírito?...
A primeira luta do espírito – aliás, a sua única luta real é contra si mesmo, a expressar-se nos embates espírito versus matéria! A matéria é a pedra; o espírito é a lâmina que na pedra se afia...

194 – Dr. Odilon, no que tange a sexo, quantas pessoas vivem do comércio das emoções subalternas!...
É porque possuem clientela... A mulher adúltera do Evangelho ainda hoje está na praça pública, a fim de ser lapidada por aqueles mesmos que a corromperam! "Atire a primeira pedra aquele que estiver sem pecado..."!

195 – A questão da sexualidade humana precisa mesmo ser analisada sem tantos preconceitos...
Enquanto a examinarmos sob a ótica de um preconceito só, distorceremos a realidade.

196 – O Espiritismo dogmatiza?
O Espiritismo é uma doutrina concebida sem dogmas de qualquer natureza; infelizmente, porém, alguns de

seus adeptos estão começando a introduzi-los: não pode isso, não pode aquilo, tal coisa é proibida, é imoral...

197 – Mas, a Doutrina não deve se posicionar?

Repetimos: tudo pelo bem e pela felicidade de todos! À Doutrina não cabe tomar decisões, cabe esclarecer. A Verdade comporta múltiplas interpretações, mas se mantém ela mesma – incorruptível e inalterável!

198 – Há gente que quando um orador homossexual assoma a tribuna e começa a falar, vai embora do Centro Espírita...

É porque ainda não está preparada para nele permanecer! Encontrou o seu endereço, mas não encontrou o seu lugar dentro dele... É uma pena!

199 – O homossexual tem moral para falar em nome da religião?

A rigor, quem o tem?! Nem Jesus condenou a mulher adúltera: "Nem eu tampouco te condeno..."!

200 – A religião, porém...

Meu filho, a vida é religião! Não teríamos todos, então, o direito de viver, porque somos pecadores? O médico que está doente teria ética para tratar de seu paciente? O juiz que não é exímio observador da lei possuiria autoridade bastante para julgar o delinquente? Quantos vivem fazendo o que não estão aptos a fazer?!...

201 – O que o senhor diz da teoria segundo a qual a homossexualidade seria determinada por um gene específico?

Teoria materialista. A sexualidade está afeta ao espírito, e não ao corpo, que é apenas o seu veículo de manifestação.

202 – O espírito se impõe sobre a hereditariedade?

Sim, isto pode ocorrer e ocorre com certa frequência. O corpo físico é reflexo do corpo espiritual que, consequentemente, é estruturado pelo corpo mental. Em O Livro dos Espíritos, em resposta à questão 370, encontramos: "O espírito tem sempre as faculdades que lhe são próprias. Assim, não são os órgãos que lhe dão as faculdades, mas as faculdades que impulsionam o desenvolvimento dos órgãos".

203 – Quer dizer que o corpo?...

É efeito, e não causa! Em certos espíritos, no entanto, dentro do quadro das provações necessárias, a genética prevalece. Esta situação ensejará aos estudiosos uma pesquisa das mais interessantes!

204 – Sendo assim, podemos admitir que a Ciência, de fato, possa mais tarde se deparar com justificativas

de natureza orgânica para explicar certas atitudes comportamentais – genes como causas determinantes de inclinações e tendências?

Comentando a resposta à questão 370-a, de O Livro dos Espíritos, Kardec asseverou: "Através de certos sinais fisionômicos reconhecereis o homem dado à bebida; são esses sinais que o fazem bêbado, ou é o vício da embriaguez que produz os sinais? Pode-se dizer que os órgãos recebem a marca das faculdades".

205 – A condição genética não é causa da homossexualidade?

Repetimos que não. É consequência!

206 – Pode, porém, acontecer que a homossexualidade seja imposta a determinado espírito?

Sim, àquele que não tenha ascendência alguma sobre a matéria e o meio que favoreça o seu desenvolvimento – é quando a condição homossexual se torna uma expiação para o espírito que abusou de e perverteu sexualmente outros! Digamos, no entanto, que ele a impõe a si mesmo – lavra a própria sentença que cumpre!

207 – Então, em certas circunstâncias, a herança genética?...

É uma cadeia para o espírito!

208 – Os pais que doam os genes da homossexualidade?...
Evidentemente, trazem-nos consigo em estado latente – todos os genes, por expressão física de todas as possibilidades, positivas e negativas, encontram-se em todos os indivíduos!

209 – A Ciência está chegando à conclusão que, desde crianças, trazemos conosco o princípio das patologias que desenvolveremos...
Como também o princípio das forças que lhes sejam contrárias!

210 – Não é, então, uma fatalidade?
Absolutamente. Segundo sua nova experiência reencarnatória, o espírito precipitará acontecimentos ou os postergará, podendo, inclusive, anulá-los. Fatalidade, de acordo com O Livro dos Espíritos, apenas existe no berço e no túmulo! Todo dia é dia de se refazer o destino!...

211 – Se não lograr anulá-los de todo?...
Poderá fazê-lo parcialmente.

212 – Certas anomalias físicas, ou psíquicas, não podem ser adquiridas a partir da existência atual?
Podem. O carma de alguém nem sempre é oriundo de vidas pregressas – a reação a determinada ação pode se fazer sentir de imediato...

213 – E ir se agravando?...
Ao longo do tempo! Óbvio, se nada for feito para paralisar e começar a reverter o processo desencadeado.

214 – Se a causa de nossas patologias fosse de natureza física?...
O homem não poderia responder pelos seus atos – o criminoso alegaria uma compulsão para matar herdada de seus ancestrais e, assim, sucessivamente.

215 – Pelo exposto, depreende-se que o espírito prevalece sobre a matéria, mas...
Temporariamente, ele pode sofrer-lhe a influência, sem forças para superá-la. Em essência, é nisto que consiste a evolução – espiritualizar a matéria, espiritualizando a si mesmo!

216 – Os pais que querem uma filha, mas nasce-lhes um filho, ou vice-versa, mentalmente influenciam em sua sexualidade?
Nem sempre, mas, quando acontece, é porque estão recebendo certa intuição dos problemas que, na condição de genitores, devem compartilhar com o espírito reencarnante. Nesse caso, devem ter muito tato e espírito de aceitação para minimizarem as dificuldades que poderão daí ser decorrentes.

217 – Somos todos homossexuais?

Somos seres vivenciando as mais diversificadas experiências no campo da sexualidade/afetividade – todas elas concorrendo para o nosso aprendizado espiritual.

218 – Por que o senhor não respondeu de maneira incisiva a questão acima proposta?

Eu a respondi. A verdade é que o espírito não é assexuado – ele é sexuado! A sexualidade do espírito é indefinida e, seja ela qual for, sempre transitória!

219 – O espírito que desenvolve a sua sensibilidade se predispõe à homossexualidade?

Existem homossexuais que são espíritos embrutecidos. Sensibilidade tem mais a ver com ternura e amor...

220 – A mediunidade, em seu exercício, pode levar à homossexualidade?

Não. O exercício da mediunidade já foi acusado até de levar à loucura... Cremos que o exercício da mediunidade com Jesus seja recurso terapêutico para qualquer mazela da alma!

221 – E o contrário: a homossexualidade desencadear um processo mediúnico?

Não necessariamente – uma minoria dos homossexuais são médiuns ostensivos! O que pode acontecer é o sofrimento decorrente dessa condição induzir alguém a maior interesse pelas coisas espirituais.

222 – Por que, em geral, a homossexualidade é mais frequente nos artistas, nos músicos, nos pintores, nos escritores, nos religiosos, etc.?
É uma estatística que precisa ser revista, pois, tal impressão, talvez seja decorrente de sua vida íntima tornada pública...

223 – Mas são indivíduos mais sensíveis?
Todavia, não são homossexuais exatamente porque sejam mais sensíveis – se por isso fosse, quase todas as mulheres seriam homossexuais!

224 – Os que reprimem a sua homossexualidade são em maior número dos que a liberam?
Parece-nos que sim.

225 – O espírito deve assumir a sua homossexualidade?
Se se entende por assumi-la afrontar a sociedade, não. Aqui seria interessante meditarmos numa frase dita por Chico Xavier: "Aceito o mundo e os homens como eles são e continuo eu mesmo"!

226 – É justo que os homossexuais se organizem

para defender os seus direitos sociais?
Claro que sim.

227 – O que o senhor acha da adoção de crianças por parte de casais homossexuais?
Legítima.

228 – Estariam aptos para orientá-las moralmente?
Estariam os pais héteros que as conceberam e abandonaram? Estaria a sociedade que as deixa crescer na marginalidade? Não sejamos sepulcros caiados por fora...

229 – Não as influenciará, todavia, de maneira equivocada, em sua formação sexual?
Não é o que se tem visto. Os homossexuais, que sabem o quanto sofrem com preconceito e discriminação, não querem esse sofrimento para as crianças que adotam na condição de filhos.

230 – Não é, no mínimo, estranho um casal homossexual adotando uma criança?
Estranha é a impassibilidade do homem que se diz moralizado, diante de milhares e milhares de crianças que morrem de fome a cada minuto no planeta! Estranha é a indústria da droga comprometendo gerações inteiras de crianças e adolescentes!...

231 – O senhor vê algum problema em se entregar a direção de uma creche espírita a um homossexual?

A princípio, não vejo problema algum. Nesse sentido, os boletins policiais de maus tratos contra crianças em creches e escolas não são ocorrências envolvendo homossexuais.

232 – E um trabalho com adolescentes? Evangelização, por exemplo?

Segundo dados estatísticos oficiais, os casos de abusos sexuais ocorrem, em maior número, no seio da família.

233 – Não obstante, pode acontecer um envolvimento obsessivo, não?

Envolvimento obsessivo de conotação sexual pode ocorrer até mesmo numa sala de passes, com protagonistas heterossexuais – comumente ocorre!

234 – Por que, em toda a Codificação Espírita, Kardec não trata explicitamente do homossexualismo?

Ainda hoje esse é um assunto-tabu para a sociedade. Convenhamos, no entanto, que o Espiritismo sempre se posicionou contrário a qualquer tipo de preconceito vigente na sociedade. Allan Kardec era amigo de George Sand, famosa escritora que se vestia de homem na França do século XIX!

235 – O homem tem o dever de denunciar às autoridades competentes abusos sexuais praticados principalmente contra crianças e incapazes?

Vejamos o que nos diz o capítulo X, de O Evangelho Segundo o Espiritismo, em seu parágrafo 21, quando Kardec pergunta a São Luís: "Haverá casos em que convenha se desvende o mal de outrem? – É muito delicada esta questão e, para resolvê-la, necessário se torna apelar para a caridade bem compreendida. Se as imperfeições de uma pessoa só a ela prejudicam, nenhuma utilidade haverá nunca em divulgá-las. Se, porém, podem acarretar prejuízo a terceiros, deve-se atender de preferência ao interesse do maior número. Segundo as circunstâncias, desmascarar a hipocrisia e a mentira pode constituir um dever, pois mais vale caia um homem, do que virem muito a ser suas vítimas. Em tal caso, deve-se pesar a soma das vantagens e dos inconvenientes".

236 – Então, o espírita não deve hesitar em denunciar à justiça atos de abuso ou de violência sexual?

Não, não deve hesitar – trata-se de um dever! A verdadeira caridade jamais contemporiza com o mal!

237 – Mesmo que venha a expor a própria vida?

É decisão que lhe compete tomar. E, depois, como está escrito no Bhagavad Gita, "quem é que vai morrer"?...

238 – A questão da prostituição infantil?...

Em esmagadora maioria, os seus agentes são heterossexuais, homens poderosos que, aos olhos da sociedade, se passam por pessoas de bem – os pobres são as vítimas, os ricos são os algozes! A prostituição infantil é caso de polícia! Os homens precisam parar de achar que Deus vai resolver tudo por eles!...

239 – A causa da prostituição infantil não é o homossexualismo?

Não! As maiores vítimas da prostituição infantil são crianças e adolescentes do sexo feminino. A causa é a bestialidade humana, a degradação e a insanidade das criaturas.

240 – Os que fazem comércio do sexo, como se encontram no Mundo Espiritual?

Em situação lastimável – muitos se transfiguram em espíritos vampiros, outros simplesmente enlouquecem! Grande número passa a conviver com aberrações em seus órgãos genitais... A condição deles, não raro, é muito pior que a dos próprios suicidas – referimo-nos, em particular, aos seus agenciadores!...

241 – Como haverão de reencarnar?

Haverão de sofrer o que impuseram a outros – serão

vítimas de sevícias, estupros... Apelemos para que a Misericórdia Divina se compadeça de nossas misérias morais e nos auxilie a não nos comprometermos tanto!

242 – Sendo assim, o mal não se perpetuará?
O mal se perpetua até que o bem, naturalmente, se lhe oponha. O próprio mal está a serviço do bem, porque aquele que lhe padece as consequências, sentindo no corpo e na alma o que fez aos semelhantes, não desejará reincidir nos erros perpetrados. Creio ter sido André Luiz, através de Chico Xavier, quem escreveu que "Deus se serve dos maus para punir os maus"...

243 – Mas se o mal é resgatado pelo mal?...
O mal nunca é resgatado pelo mal. Expiam-se no mal as consequências do mal, para, depois, repará-lo pela prática do bem!

244 – Quem expia uma falta cometida?...
Está começando a se predispor à sua reparação! Mas não será chorando sobre as ruínas de uma casa que você conseguirá reconstruir!...

245 – Temos, então, espíritos que reencarnam com a única finalidade de expiar...
E outros que reencarnam com o objetivo de quitar, ou de começar a quitar os débitos contraídos! A dívida

contraída num minuto de invigilância pode levar um século para ser saldada!

246 – A expiação, por si só, não quita o débito?
Não. A expiação, mais ou menos longa, é um tempo de reflexão para que o espírito se induza à indispensável tomada de decisão!

247 – Em síntese, o problema não é a condição sexual em que o homem se encontra, ou seja, se ele é hétero, homo ou bissexual?
O problema é o que o homem faz com a sua sexualidade!

248 – O que ele faz, fazendo aos outros?...
E, consequentemente, a si, porque, na verdade, o mal que ocasionamos aos outros, sempre é maior mal a nós mesmos!

249 – A homossexualidade não é um mau exemplo?
Se fosse, pois que ela não o é, não seria mais que roubar, matar, corromper, escravizar...

250 – O médium homossexual não serviria de incentivo a rapazes e moças que tragam essa tendência reprimida?
Desde que convivessem apenas com ele, é provável que sim; não nos esqueçamos, todavia, que, para a sua

conduta sexual na vida, recebem em casa, na escola, no ambiente de trabalho e de amigos diversos, outros tipos de influência – a decisão que tomem é, pois, de sua inteira responsabilidade. Muitos homossexuais que hoje são médiuns e que prestam relevantes serviços à causa do bem, se não fossem médiuns, talvez fossem apenas homossexuais...

251 – Os que quiserem retroceder de determinada experiência sexual terão forças para tanto?
Desde que, efetivamente, o queiram, sim! O homem cai ou permanece no abismo por sua livre e espontânea vontade!

252 – Considerando-se a prática sexual como um vício, é possível se libertar?
O sexo não é vício pior que a droga ou que o álcool... Quantos, felizmente, não mais se comprazem na bebida e na droga?!

253 – Se o Centro Espírita dirigido por um homossexual assumido é, segundo dizem, por causa disso, pouco frequentado, ele deve ter o bom senso de deixar a sua direção?
Sinceramente, não vemos motivo para tanto. Existem muitos Centros Espíritas numa cidade – que as pessoas, de acordo com as suas afinidades, escolham o Centro de

sua preferência. De vez em quando, é bom lembrar que não estamos mais na Idade Média!

254 – E se o comportamento do tal dirigente escandaliza?

Aí a questão é outra.

255 – Ele deve ser pressionado a renunciar?

Em hipótese alguma o espírita deve agir sem espírito de caridade. Recordemos Jesus: "Os sãos não têm necessidade de médico"! Uma conversa verdadeiramente fraterna soluciona muitas pendências.

256 – Muitos se sentem "donos" dos Centros Espíritas...

Centro Espírita não tem "dono" – nesse sentido, se for para falarmos em proprietário, o proprietário é Jesus! Quem assume a direção de uma Casa Espírita, assume a condução de um rebanho e, em assim sendo, não mais tem o direito de tomar decisões que não objetivem o bem-estar geral das ovelhas confiadas à sua guarda!

257 – Muitos alegam que construíram o Centro com os seus próprios recursos financeiros...

Então não constituíssem Diretoria! Esses são os tais "tiranos domésticos", de que O Evangelho Segundo o Espiritismo, nos fala...

258 – A amizade de Jônatas para com Davi (1 Samuel, cap. 18 – vv. 1 a 4) era um amor homossexual como muitos deduzem?

Vejamos o texto bíblico em questão, sem procurar nas letras sagradas justificativas para isto ou aquilo.

259 – "Sucedeu que, acabando Davi de falar com Saul, a alma de Jônatas se ligou com a de Davi; e Jônatas o amou, como à sua própria alma. (...) Jônatas e Davi fizeram aliança; porque Jônatas o amava como à sua própria alma. Despojou-se Jônatas da capa que vestia e a deu a Davi, como também a armadura, inclusive a espada, o arco e o cinto"...

Da análise do texto, não se pode chegar a tal conclusão – seria leviandade.

260 – Entre os judeus, como entre outros povos da Antiguidade, o homossexualismo era uma prática comum, parecendo até fazer parte de sua cultura...

A prática homossexual encontrava-se tão disseminada entre os judeus, ao tempo de Moisés, que o levou a grafar em Levítico, capítulo 18, v. 22: "Com homem não te deitarás, como se fosse mulher: é abominação"; inclusive, no versículo seguinte, há uma proibição de que o homem se deite com animal: "Nem te deitarás com animal, para te contaminares com ele, nem a mulher se porá perante um animal, para juntar-se com ele: é confusão".

261 – De ponto de vista mediúnico, das faculdades em si, o senhor nota alguma diferença entre os médiuns solteiros ou casados?
Não, em absoluto.

262 – Por que, então, os médiuns solteiros parecem ser mais produtivos?
Talvez, maior disponibilidade de tempo.

263 – Os espíritos fazem distinção entre uns e outros?
Não, porque os espíritos também têm os seus parceiros.

264 – O médium com tarefa mediúnica definida deve se casar?
Desde que encontre alguém capaz de compreendê-lo em seu idealismo e mesmo de auxiliá-lo no cumprimento do dever, e se esta for a sua vontade, por que não se casaria?

265 – Caso contrário?...
É uma decisão que lhe cabe tomar. A responsabilidade de constituir uma família é tão nobre quanto à do compromisso mediúnico – ambas as opções exigem espírito de sacrifício e de renúncia!

266 – Se o futuro cônjuge impõe como condição ao matrimônio a renúncia do médium aos seus deveres mediúnicos?

O verdadeiro amor não traça exigência de qualquer natureza e não solicita exclusividade.

267 – Seria lícito que o médium exercesse as suas funções mediúnicas com prejuízo para a família, notadamente no campo da subsistência?
É evidente que não.

268 – Por que, em geral, os médiuns com faculdades mais ostensivas não se casam?
Talvez porque os seus compromissos cármicos com a mediunidade extrapolem os compromissos do matrimônio. Nem todas as árvores nascem para produzir frutos, não obstante, não deixam de cumprir com a finalidade para que foram criadas.

269 – Com todo respeito a eles, não seria porque lutam com conflitos sexuais mais acentuados?
Também, mas não se pode generalizar, nem especular levianamente!

270 – O médium que permanece solteiro não fica mais exposto à tentação do sexo?
É de se pensar assim, no entanto não é o que se constata na prática. Os médiuns, casados ou não, sempre se veem às voltas com obstáculos que, de uma maneira ou de outra, intentam comprometê-los moralmente.

271 – A separação conjugal do médium, quando acontece, o desautoriza junto aos espíritos para que continue a exercer suas atividades mediúnicas?

A separação conjugal, principalmente quando o casal tiver filhos, é sempre lamentável; todavia, se ocorre sem maiores agravantes, não é impedimento para que o médium continue lutando no cumprimento de seu dever mediúnico, mesmo porque é através do trabalho construtivo – e somente através dele! – que o homem consegue se levantar de qualquer queda.

272 – O que o senhor quer dizer com "sem maiores agravantes"?...

Quando a separação não for litigiosa, ao ponto de desencadear atitudes de violência lesivas, inclusive, à integridade física do cônjuge.

273 – O que tem a dizer do médium casado bissexual, que mantém uma vida paralela ao casamento?

Melhor que se entendesse às claras com os seus parceiros e fizesse definitiva opção.

274 – E o médium que se precipita ao se casar?...

Deverá, sem dúvida, arcar com as consequências de sua imaturidade e, por vezes, egoísmo.

275 – "Egoísmo"?...

Ele pensou exclusivamente em si – talvez, em solucionar o seu problema de conveniência social.

276 – Não se casou por amor?
Não cogitou na felicidade alheia – pensou em manter as aparências! Para essa sua atitude não existe outro nome que não seja "egoísmo"!

277 – Mesmo desejando se proteger, não é uma atitude correta?
Do meu ponto de vista, não.

278 – Quando é correta?
Quando, por ludíbrio calculado, não se frustra a expectativa de felicidade do outro.

279 – O que fazer quando se descobre que não se casou por amor?
Em primeiro lugar, em seu limitado conceito de amor, questionar a sua própria capacidade de amar!

280 – Ás vezes, a questão não é o outro?...
Quase sempre a questão não é o outro!

281 – E o homossexual que se casa numa tentativa de mudar a sua condição sexual?
Que explique a sua intenção ao parceiro, seja transparente; porque, assim agindo, poderá, inclusive, contar

com o auxílio dele na nova experiência que pretende vivenciar no matrimônio.

282 – E se já tiver ocorrido uma gravidez?...
O filho de pais que se desentendem frequentemente cresce sob traumas de difícil reversão. Um relacionamento distante, mas amistoso, é preferível a um relacionamento próximo, mas hostil!

283 – Pais separados, porém, amigos?...
Melhor que pais juntos, porém, inimigos!

284 – A separação conjugal não é um compromisso cármico que se adia?
Antes adiá-lo, que agravá-lo!

285 – A maioria das uniões afetivas sobre a Terra, que é um planeta de provas e expiações?...
São, indiscutivelmente, uniões de provas e expiações!

286 – O que o senhor acha do sexo antes do casamento?
Sou favorável ao amor antes do casamento. Sexo é algo secundário!

287 – Quando o senhor se encontrava encarnado?...
Quando eu me encontrava encarnado, muitos dos

problemas que estamos tratando aqui não nos desafiavam, de maneira tão flagrante, a capacidade de administrá-los em nós mesmos. Nos de minha geração, as brasas permaneciam encobertas por espessas camadas de cinzas – hoje, os ventos da vida moderna, soprando de rijo, as transformaram em labaredas... Como homem encarnado, pertenço a uma geração passada...

288 – E como homem desencarnado?...
Pertenço à geração futura!

289 – Por este motivo?...
Como espírito, posso e devo opinar. Todas essas questões, abordadas neste nosso diálogo informal, refletem problemas que subsistem entre nós, os espíritos que ainda nos sentimos humanizados nas esferas vizinhas do orbe terrestre!

290 – Voltando à questão do sexo antes do casamento, ele não é doutrinariamente imoral – incorreto?
Como diria o nosso Dr. Inácio Ferreira, tentemos dizer isto aos nossos filhos e netos, e a nós mesmos, quando voltarmos à Terra em num novo corpo!

291 – Mas podemos considerá-lo imoral?
Imoral é a falta de amor! Repetimos: "o amor cobre multidão de pecados" – I Pedro, capítulo 4, versículo 8.

292 – O sexo, antes ou depois?...
Quando é decorrente do amor, sempre acontece no tempo certo.

293 – Penso que os netos e os bisnetos do senhor não o reconhecerão ao lê-lo nestes apontamentos...
Provavelmente, não. Mas, talvez, preferissem que eu fosse exatamente como eu estou me dando a reconhecer nestas linhas!

294 – Isto o incomoda ou preocupa?
Estamos a serviço de uma Causa que, custe-nos o que custar, devemos colocar acima de nós mesmos!

295 – O impulso sexual, em si, é incontrolável?
Não! O que seria do homem, caso não conseguisse controlar qualquer de seus impulsos? O progresso não existiria para ele!...

296 – Sob o pretexto de que não podemos vencê-las, devemos nos submeter às nossas tendências?
Sempre que identificarmos em nós uma tendência de natureza infeliz é nossa obrigação envidar todos os esforços para, finalmente, superá-la.

297 – Mesmo contrariando a nossa própria natureza?
Na condição de herdeiros do Criador, nunca haveremos

de contrariar o que, essencialmente, somos. O mal ou o vício de qualquer espécie nunca foi de nossa natureza!

298 – Afinal, em termos de vida sexual, onde estaria a imoralidade para héteros, bi e homossexuais?
Na degradação.

299 – Falamos em héteros e homossexuais, no entanto, certos autores, opinam que são onze os sexos: mulheres heterossexuais, homens heterossexuais, homens homossexuais, mulheres lésbicas, mulheres bissexuais, homens bissexuais, os travestis, as travestis, os transexuais, as transexuais, os hermafroditas... O que o senhor acha de semelhante classificação?
Recorramos a um dos referidos autores que esclarece, com propriedade: "Somos ao mesmo tempo semelhantes e diferentes de todos os demais, em nossa indivisibilidade. Somos, em cada momento, únicos e universais. Portanto, não é possível dizer que a espécie humana é formada de seres com 'apenas 11' sexos. Podemos ser 11, ou 111, ou 1.111 ou 1.111.111 sexos, ou mais. Tudo é muito pouco para explicar o ser humano".

300 – O que entender por depravação sexual?
A perversão, a prática sexual desenfreada, o mal como objetivo – foi o que levou à destruição de Sodoma e Gomorra; onde, segundo as Escrituras (Gênesis, capítulo 18,

v. v. 22 a 23), em toda a cidade de Sodoma, o Senhor não encontrou sequer a presença de dez justos!

301 – De Sodoma deriva o termo "sodomia"... Os homossexuais podem ser considerados sodomitas?

Homo e heterossexuais que se pervertem sexualmente – em outras palavras, aqueles que vivem apenas em função do prazer da carne ligado ao sexo, os que jamais se saciam e não medem as consequências de seus atos!

302 – Existem homens que nascem com uma carga erótica maior que outros?

Sim, pois do que o homem cultivar, os seus celeiros se fartarão.

303 – A que se deve essa condição?...

Ao sexo pelo sexo.

304 – Priorizaram o prazer sensorial?

Com certeza, e ao longo de muitas existências. Por tal motivo, o equilíbrio que se almeja nesse campo não pode ser obtido de uma hora para outra. Certa vez, ouvi de um sábio: "Sem que o homem maldiga, suficientemente em si, o mal que lhe causa mal, ele não conseguirá anulá-lo completamente".

305 – Por que para alguns de vida intelectual mais

intensa, a prática sexual vai ficando em segundo plano?
Canalização das energias da libido para as áreas da criatividade – é a espiritualização do prazer!

306 – A energia sexual?...
É potencialmente criadora, pois é a energia do amor – a Criação Divina é um ato de amor! O Criador sentiu prazer em criar: "E viu Deus que a luz era boa..."! (Gênesis, capítulo 1 – versículo 4)

307 – Com ela pode-se criar?...
Semelhantemente ao ato de procriar. Todo ato mediúnico resulta da conjugação de forças psíquicas, ativas e passivas!

308 – O que é a inspiração?
A fecundação do espírito por uma ideia!

309 – O mesmo se dá com a ideia do mal?
Sim. Sobre o mesmo trato de chão, cresce o trigo e cresce o joio.

310 – O prazer pode ser espiritualizado?
Tudo pode e deve ser espiritualizado.

311 – A sensação que, por exemplo, experimenta um poeta ao conceber um soneto pode ser comparada à do homem que obtém o orgasmo?

Ele dirá, e com razão, que a de compor o poema é maior e mais duradoura. O orgasmo oriundo do ato sexual, quando atinge o seu clímax, não dura mais que um instante – que um breve instante!

312 – No artista que representa no palco?...
O prazer de encenar é contínuo – é semelhante ao "prazer" que o estado de transe mediúnico proporciona! Chico Xavier não dizia por mero dizer que considerava os livros de sua lavra como seus "filhos"...

313 – Se assim é, por que o homem ainda insiste no sexo?
Calma! Ainda não nos distanciamos o bastante de nossos parentes mais próximos – os animais! Os espíritos superiores não nos disseram que, "em a natureza, nada dá saltos"? Chegaremos lá! Do chakra "básico", passando pelo "genésico", representado pela kundalini, ao chakra "coronariano", a subida é longa!...

314 – Então, à exata medida que o homem intelectualizar-se?...
E, principalmente, moralizar-se – sensibilizar-se, espiritualizar-se...

315 – ... a forma de ele relacionar-se sexualmente?...

Irá, naturalmente, sublimando-se! Nas dimensões superiores, o sexo não se concentra na genitália humana e nem por ela se expressa – sexo é mente!

316 – A pornografia?...
É a indústria da depravação.

317 – Pelo que vem sendo exposto, o homem, ou seja, o espírito se caracteriza como sendo bissexual e não apenas hétero ou homossexual?
O próprio feto, nas primeiras semanas de seu desenvolvimento, não se define, morfologicamente, quanto às suas características sexuais.

318 – O espírito, de uma encarnação para a outra, transita facilmente da masculinidade à feminilidade e vice-versa?
Não, essa transição não é tão simples quanto parece – existem espíritos que, por séculos, se apegam à sua condição masculina ou feminina. Quando tal fenômeno não se dá por ação constrangedora da Lei de Causa e Efeito, ele passa a depender da flexibilidade psíquica do espírito reencarnante e, por assim dizer, de sua vontade, tendo em vista a tarefa que lhe cabe desempenhar na encarnação.

319 – Mas todos, inevitavelmente?...
Haverão de experienciar a masculinidade e a feminilidade!

320 – Seria, então, correto dizer que a homossexualidade/bissexualidade é inerente a todos?

Toda condição sexual é inerente a todos! Homens e mulheres trazem no espírito inclinações de natureza homossexual/bissexual. Já o dissemos: o princípio inteligente, desde os primórdios de sua evolução, deve estagiar em todas as condições que, um dia, como espírito, haverão de conduzi-lo às cumeadas da evolução!

321 – A homossexualidade é uma experiência a ser vivenciada por todos?

A homossexualidade, sim; a prática homossexual, não!

322 – O que o senhor quer dizer por prática homossexual?

A atividade sexual ligada à homossexualidade – embora raríssimos espíritos consigam evitá-la, ela não é indispensável ao processo evolutivo. Que isto fique claro!

323 – A amizade estreita entre dois homens, ou duas mulheres, pode ser motivada por uma homossexualidade latente?

Pode.

324 – O amor homossexual?...

Não deve ser confundido com sexo.

325 – O sexo poderia, assim, ser considerado apenas um detalhe no relacionamento afetivo?
Detalhe que, não raro, suscita paixões, desencadeando comprometimentos cármicos para muitas existências.

326 – Não obstante, para aqueles que nutrem verdadeira simpatia um pelo outro?...
Na verdade, o que se consuma na conjunção dos corpos perecíveis não passa de mero detalhe. Somente o amor sobreviverá!

327 – O senhor nos permitiria incluir neste nosso estudo ligeiro uma opinião de Chico Xavier sobre o assunto?
Claro. Chico, além de médium, é um mestre do espírito! A sua palavra é de muito maior autoridade que a minha.

328 – No livro Kardec Prossegue, de Adelino da Silveira, foi perguntado a Chico: "O homossexual deve se aceitar ou deve lutar contra as suas tendências?". Ele respondeu: - "Já li, de um analista de mérito, que toda amizade e que toda ligação espiritual, de ponto de vista afetivo, é parcela de homossexualidade no homem e na mulher; mas, o homossexual não poderá deixar a natureza de que é portador de um momento para outro como se ele estivesse condenado a não trabalhar, a não servir, quando nós sabemos que há tanto enfermeiro,

Carlos A. Baccelli *ditado por* Odilon Fernandes

tanto professor, tanta senhora digna que executam os deveres que lhe competem com muita eficiência e devotamento. Agora, o homossexual em si deve evitar a pederastia; a pederastia, sim, é um problema suscitado pela ânsia do homem de experimentar sensações, mas homossexualidade está vinculada a um processo afetivo entre os homens e mulheres do planeta, de modo que é um estado natural em que as almas se afinam para fazer o bem. Já a pederastia é muito diferente. Quando nós falamos "homossexual", lembramo-nos logo de quadros infelizes, mas a verdade é que a homossexualidade está em toda pessoa que tem um amigo ou que tem deveres de fraternidade, de assistência para com o próximo. A pederastia é que é o grande problema que devemos evitar e entender como sendo uma condição desnecessária e mesmo imprudente da parte de todos os homens. E vamos dar ao assunto a cor que o assunto traz consigo: todo homem deve evitar a pederastia; toda mulher pode estar perfeitamente fora do lesbianismo, porque a nossa formação nos leva sempre para o caminho do que já fomos e, às vezes, nós viemos para não ser mais o que já fomos, e sim para aprender a considerar o que devemos ser".

Há muito material aí para reflexão, estudo e análise dos que, evidentemente, a tanto se dispuserem sem receio de abordar o assunto com imparcialidade.

329 – O que ele quis dizer com: "... o homossexual não poderá deixar a natureza de que é portador de um momento para outro..."?

O espírito pode se fixar no homossexualismo por longo tempo, em diversas experiências encarnatórias. Inútil tentar a sua reversão com medidas terapêuticas de violência.

330 – A desencarnação não mudaria os hábitos do espírito?

Se mudasse, bastaria a desencarnação para que o homem mau se transfigurasse em anjo, não é?! Isso é uma utopia.

331 – "... o homossexual em si deve evitar a pederastia..." O que significa?

Salvo melhor interpretação, de maneira geral, pederastia é o relacionamento sexual do homem adulto com crianças e adolescentes – é a chamada corrupção sexual de menores, também nomeada de pedofilia, que é a pederastia com abuso sexual.

332 – Ele a define como sendo a "ânsia do homem em experimentar sensações", a sua insaciabilidade. No caso, não poderíamos dar à pederastia uma interpretação mais ampla?

É uma questão de menor ou maior abrangência de definições.

333 – O homossexual pederasta?...
Não é o homossexual efetivo, nem afetivo.

334 – A pederastia seria uma doença do homossexualismo?
Podemos entendê-la assim – a pederastia é tara obsessiva!

335 – O espírito da criança que é violentada sexualmente?...
Nada para nós deve justificar tão abominável violência, nem o provável carma do espírito da vítima...

336 – Nem o carma do espírito da criança?...
Não! O mal jamais se justifica. A criança – não importa o que o espírito tenha feito em vidas pregressas – tem que ser amparada, protegida, educada e amada, sempre!

337 – Mas, e se o carma da criança em questão acabar prevalecendo?
"Se alguém escandalizar a um destes pequenos que creem em mim, melhor fora que lhe atassem ao pescoço uma dessas mós que um asno faz girar e que o lançassem no fundo do mar. Ai do mundo por causa dos escândalos; pois é necessário que venham escândalos, mas, ai do homem por quem o escândalo venha" – Mateus, capítulo 18 – v. v. 6 e 7.

338 – O carma sempre acaba prevalecendo?...
Pela dureza dos corações humanos!

339 – No entanto, é passível de ser atenuado?
Sim; por esse motivo, estamos sempre sendo exortados à vivência da caridade! Na Lei Divina, existe justiça, mas também existe misericórdia!...

340 – Dr. Odilon, quer dizer que a Espiritualidade não faz restrição ao médium homossexual?
Pela sua homossexualidade, não! No homem, o que nos interessa é o espírito!...

341 – Existem médiuns homossexuais que chegam a ser expulsos das Casas Espíritas...
Muitos espíritos saem junto com eles – e não são os obsessores, não!

342 – Há quem creia que, assim agindo, estará defendendo o patrimônio moral da Doutrina.
O patrimônio moral da Doutrina se defende vivenciando os seus preceitos de amor e tolerância fraternal.

343 – O que dizer de palestras de orientação sexual na Casa Espírita?
Palestras instrutivas seriam interessantes, não pretensamente moralizadoras, e desde que ministradas para público específico.

344 – Aulas de educação sexual?...
Quem se candidataria a professor?!...

345 – O que a Doutrina ensina, no geral?...
Para quem tenha "ouvidos de ouvir", o geral aplica-se no específico.

346 – Falando de Doutrina e de Evangelho?...
Fala-se ao ser humano como um todo e se lhe informa a respeito do essencial à paz e à felicidade, deixando-lhe a liberdade de escolha quanto aos rumos que, não obstante, deseja imprimir à sua própria vida.

347 – O que dizer dos que, sendo homossexuais, fazem apologia ao homossexualismo?
Já o dissemos anteriormente: estão equivocados! Todavia, não faltará quem nos supunha, neste diálogo, estar defendendo a causa dos homossexuais.

348 – E os que buscam justificar as suas atitudes equivocadas pelos equívocos alheios?
Por que não se inspiram em atitudes nobres? Os equívocos dos semelhantes não devem servir de justificativa para os nossos. Quem decide agir, pelo menos, deve ter a dignidade de assumir as consequências da ação perpetrada.

349 – Compreender sempre?

Sem esperar por compreensão – este é sempre o melhor caminho.

350 – Os que lançam certo olhar de piedade aos homossexuais?...
Todos nós somos carentes de olhares piedosos uns dos outros. Quem olha piedosamente para alguém, talvez já tenha começado a olhar piedosamente para si mesmo!

351 – E quanto àqueles que os veem com desdém?...
Quem se sente superior a quem quer que seja, sequer ainda se nivela àquele que coloca abaixo de si.

352 – Os homossexuais são moralmente inferiores?
Hitler os considerava assim.

353 – Os heterossexuais são espíritos superiores?
Não se mede a superioridade de um espírito pela sua condição sexual.

354 – A homossexualidade é uma experiência amarga para o espírito?
A vivência no mal é uma experiência amarga para o espírito. O espírito, em toda e qualquer luta, é chamado a exercitar aceitação. Às vezes, cuidando de uma ferida exposta crônica, o homem está se preservando de doenças mais graves que poderiam acometê-lo.

355 – Dentro da Casa Espírita o espaço de trabalho deve ser o mesmo para todos?

Espaço de trabalho igual para todos e respeito mútuo. Sob qualquer pretexto, discriminação é preconceito. Ninguém defende os interesses da maioria, desconsiderando os interesses da minoria.

356 – Os espíritos homossexuais podem ser benfeitores?

Muitos deles o são!

357 – Comunicam-se através dos médiuns, escrevendo livros e orientando as pessoas?

Fazem-no em maior número que se possa imaginar!

358 – Como os espíritos superiores tratam os espíritos homossexuais?

Não os tratam pela condição sexual em que se apresentam, nem lhes perguntam sobre as suas preferências de natureza afetiva. O avanço das instituições humanas, em relação aos direitos dos homossexuais na Terra, já é um reflexo da condição social que eles desfrutam no Mais Além.

359 – A homossexualidade é uma das "faces" de Deus?

E de quantas mais houver!

360 – Não é uma afirmativa ousada?

Estamos no Terceiro Milênio da Era Cristã! É chegada a hora de falarmos com clareza sobre a essência da vida! Ah, uma ressalva importante: felizmente, para tanto, estamos no Brasil, onde a nossa Doutrina libertadora se aclimatou tão bem!...

361 – Tudo depende?...

De seus olhos, de seu modo de enxergar e entender a vida. Para os olhos da mediocridade, tudo é medíocre.

362 – Para os que, em tudo, veem o mal?...

O mal, evidentemente, está em seus olhos. "São os olhos a lâmpada do corpo. Se os teus olhos forem bons, todo o teu corpo será luminoso..." – Mateus, capítulo 6, versículo 22.

363 – O homem é livre para fazer o que quer?

Para fazer o que deve. O livre-arbítrio absoluto só existe quando o homem se submete à vontade de Deus!

364 – Então, ele não é tão livre assim!...

Por que não?! Não há nada que o impeça de fazer o que quer – é só arcar com as consequências!

365 – O sofrimento?...

É consequência de uma ação cometida pelo homem – é uma criação humana!

366 – A criação humana em confronto com a Criação Divina?...
É causa geradora de dor – que nada mais é que processo de rearmonização.

367 – No Universo, então, impera uma ética?
O Universo sem ética seria o império do caos.

368 – Então, repito, a nossa liberdade não é irrestrita?
Liberdade absoluta só a do Criador; todavia, nem Ele desrespeita as próprias Leis que criou!...

369 – Existem pessoas que disseminam a homossexualidade...
Como existem as que disseminam o crime, a droga, a descrença... A homossexualidade, porém, não se propaga por contágio! A não ser que seja forçado, quem cede a uma experiência homossexual o faz por livre e espontânea vontade.

370 – Porém, aquele que a tanto for forçado, não se habitua?...
Apenas se regozijar-se em tal condição. A prática homossexual teve o seu início nos mosteiros religiosos, o que

não significa, porém, que todos os religiosos com agrado a ela se entregassem e passassem a cultivá-la. Muitos, pela sua força moral, mantiveram-se incólumes às seduções, inclusive de seus superiores hierárquicos.

371 – Por que somos mais suscetíveis de absorver os exemplos negativos?
Responda-me, e eu lhe responderei: por que a tiririca cresce no campo sem necessidade de ser cultivada?!...

372 – Se afastássemos o mal da sociedade?...
Como, se o mal é gerado em seu próprio ventre?! O mal, para ser definitivamente afastado, precisa se transformar no bem.

373 – O homossexual representa?...
Parcela da homossexualidade da sociedade como um todo.

374 – Seria, digamos, uma excrescência social?
Em sua pergunta a homossexualidade está implícita como sendo o mal que não é. Agora, você funcionou como médium do preconceito inconsciente que vige no seu e no espírito da sociedade! O homossexualismo, desde os tempos mais remotos, emergiu, naturalmente, no seio de todas as culturas.

375 - No meu espírito?...

Em seu espírito receoso da opinião de parcela daqueles que, possivelmente, atraídos pela curiosidade, irão ler o presente trabalho. Não se importe, porém, com o que digam de você ou de mim, porque a crítica virá de qualquer jeito.

376 - Quer dizer que somos médiuns da opinião pública?

Também! A influência do espírito comunicante sobre o médium talvez seja, no processo do intercâmbio, a menor que ele recebe.

377 - O médium igualmente opera?...

Infelizmente, de acordo com a pressão que recebe... dos encarnados!

378 - A crítica ao homossexualismo?...

Em muitos que a fazem, é mecanismo de defesa – raros o criticam por verdadeira questão de princípios!

379 - Por que a vida desregrada do heterossexual não é tão criticada?

Houve época em que chegou a ser incentivada – os pais machistas incentivando os filhos! Não faz muito que a mulher deixou de ser apenas objeto de prazer!...

380 – Ter muitas namoradas é sinal de...?...
Masculinidade?! Não! Digamos com mais acerto: de animalidade!...

381 – Por que a virilidade sexual do homem parece estar decrescendo?
Porque, talvez, a sua vida intelectual esteja prevalecendo. Mas isto é bom sinal, ou não?!...

382 – A ocupação da mente humana com outras coisas é providencial?
Não resta a menor dúvida. O homem – arrisco a dizer –, em termos de genitália, será cada vez menos inoperante.

383 – A tendência da prática sexual?...
Como a que se conhece, é de reduzir a sua periodicidade, o que, gradativamente, vem acontecendo ao longo dos séculos. Daqui a algumas dezenas de séculos, o sexo será mais uma questão de pele, que de genitália!

384 – O homem, então, fará menos sexo e amará mais?
Sim. Obviamente, cogitamos de uma situação que se acentuará nas futuras gerações. O prazer deixará de ser localizado – ele se sublimará e, em consequência, se ampliará!

385 – O sexo não é o encanto da vida?
O amor é o encanto da vida!

386 – Chegará um tempo em que os homens não mais se relacionarão sexualmente?
Não de maneira ainda tão primitiva, que lembra o relacionamento dos animais! Talvez, em futuro distante, os homens venham a fazer sexo como as flores o fazem!...

387 – Os espíritos se relacionam sexualmente?
Sim, tantos os inferiores quanto os superiores.

388 – No futuro, daqui há...
...séculos e séculos sem conta!

389 – ... os homens se relacionarão sexualmente apenas para procriar?
Como no princípio! Onde e quando, porém, cessar a reencarnação, cessando, assim, a necessidade de procriar, o espírito se relacionará com o espírito eleito para, juntos, exercerem a sua função de co-criadores!

390 – Como os espíritos superiores se relacionam sexualmente?
Nem carecem de se tocar. Vibram e... se amam!

391 – A paciência do senhor para com estas perguntas, algumas tão ingênuas – reconheço – é comovente!

Meu filho, estamos conversando – um amigo dialogando com outro, em clima de confiança mútua. Mediunidade também é isto.

392 – Estaríamos, por deficiência minha, desviando-nos de sua proposta inicial de trabalho?
Não, de forma alguma. Mediunidade vinculada à sexualidade é tema de grande abrangência e de suma importância doutrinária. Lamento apenas, conforme já o disse, não ser eu especialista no assunto.

393 – Outro espírito poderia dizer algo diferente do que o senhor está dizendo?
Com outras palavras, talvez, valendo-se de termos mais técnicos e apropriados.

394 – Poderia ter uma visão diferente em certas questões?
Entre os espíritos, como entre os homens, muitas questões ainda são motivos de controvérsias.

395 – O senhor, então?...
Estou emitindo o meu parecer, com o qual pelo menos você, o médium, concorda, pois, caso contrário, ofereceria resistência no processo de filtragem.

396 – O que um médium recebe dos espíritos?...

Dificilmente o contraria naquilo que ele pode pensar sobre este ou aquele assunto.

397 – Se, na condição de medianeiro, eu não lhe filtrasse as ideias de maneira satisfatória?...
Eu não insistiria, porque o meu pensamento seria desfigurado.

398 – Procuraria outro médium?
Procurar outro médium é uma opção do espírito, tanto quanto do médium o é procurar outro espírito!

399 – O médium, porém, não tem que concordar com tudo do espírito?
Não, e nem o espírito concordar com o médium em tudo. Podemos dizer que, em mediunidade, sintonia significa espírito e médium chegarem a um entendimento.

400 – Os espíritas não têm que aceitar tudo dos espíritos?...
Nem os espíritos se submeterem às exigências dos espíritas! Na Codificação, Allan Kardec ensina isso o tempo todo!

401 – Os espíritos não se submetem em que sentido?
Não se retraindo em suas considerações para atender a interesses de grupos e para, por exemplo, que as suas

obras caiam no agrado dos supostos formadores de opinião. O médium que escreve não deve se preocupar em escrever para vender o que produz mediunicamente. A verdade que busca contemporizar é luz que, voluntariamente, perde em esplendor.

402 – O senhor acha que existem médiuns e espíritos que escrevem para agradar?

Infelizmente, sim – produzem obras de fácil comercialização, que não serão censuradas pelos críticos de plantão do movimento, responsáveis, em boa parte, pelo cerceamento da liberdade de expressão.

403 – Médium e espírito?...

Têm que se preocupar em cumprir com a obrigação, permanecendo de consciência tranquila. Quando Jesus proclamou: "Eu sou o pão da vida" (João, capítulo 6, versículo 48), os discípulos se escandalizaram e disseram: "Duro é este discurso, quem o pode ouvir?" E segundo anotações do Evangelista, muitos, naquele momento, "o abandonaram e já não andavam com ele"...

404 – Jesus foi preso, e condenado, por não contemporizar...

Se ele tivesse contemporizado, o que seria da Boa Nova?!

405 – Ele era escândalo para os judeus...
Que foram por ele chamados de "sepulcros caiados"... Por simplesmente não ter lavado as mãos antes de comer, os escribas e os fariseus o censuraram; ao que, sem hesitar, retrucou: "Hipócritas! bem profetizou Isaías a vosso respeito, dizendo: este povo honra-me com os lábios, mas o seu coração está longe de mim"...

406 – Nós, os espíritas, compreendemos o verdadeiro sentido da Doutrina?
Raros de nós o compreendemos! Bem-aventurado, no entanto, é aquele que se esforça para tanto!

407 – Entretanto, muitos revelam profundo conhecimento de seus postulados...
São detentores de boa memória...

408 – Espiritismo é?...
Vivência pessoal do Evangelho, reforma interior!

409 – Por que certas pessoas se escandalizam tanto com os problemas dos outros?
Porque estão tentando ignorar os seus.

410 – Os religiosos, de maneira geral, vivem de aparência?
Existem numerosas e anônimas exceções. Não julguemos.

411 – Quem melhor se conhece?...

Não se encoraja a julgar quem quer que seja. Quem não puder descruzar os braços para verdadeiramente amar, é melhor mantê-los cruzados.

412 – Os espíritas se constituem em empecilho à dinâmica da Revelação?

Muitos deles, sim. Porém, eu me recordo da questão 782, de O Livro dos Espíritos: "Que pensar dos homens que entravam o progresso de boa fé, acreditando favorecê-lo, porque o veem segundo o seu ponto de vista, e frequentemente onde ele não existe?" Resposta: "Pequena pedra posta sob a roda de um grande carro e que não a impede de avançar".

413 – De que maneira eles constituem empecilho?...

Pressionam os médiuns que, por sua vez, opõem excessivos obstáculos à livre manifestação dos espíritos por seu intermédio – contudo, muitos espíritos também se sentem pressionados por uma espécie de "corrente contrária", que parte dos homens...

414 – Não obstante, muitos espíritos mistificam, são pseudossábios...

Aprendam a separar o joio do trigo! As sementes podem se parecer, mas são de muito diferente paladar...

415 – Nem todos possuem discernimento... Não temos o dever de zelar por eles?
Mas não o de escolher por eles! Cuidado com semelhante sofisma...

416 – O pai não escolhe pelo filho?
Até que o filho tome a iniciativa de escolher por si mesmo. Fazemos sempre a vontade de Deus? Não deliberamos comer da árvore do conhecimento do bem e do mal?! (Gênesis, capítulo 2, versículo 9) "Quando eu era menino, falava como menino, sentia como menino, pensava como menino; quando cheguei a ser homem, desisti das cousas próprias de menino" (I Coríntios, capítulo 13, versículo 11).

417 – O homem deve comer da árvore do conhecimento do bem e do mal?
É o tributo que se deve pagar à Evolução.

418 – Dr. Odilon, recapitulando, mediunidade e sexualidade?...
São forças que emanam do espírito – forças não antagônicas, inter-relacionadas, concorrendo para a espiritualização do ser; são faculdades naturais, circundantes em espiral, uma enlaçada à outra, à maneira de ramos em simbiose crescendo na direção da luz... Em síntese: são clarões da mesma chama!

419 – A sexualidade reprimida ou exacerbada?...
É causa de transtornos psíquicos.

420 – A mediunidade?...
É fator de equilíbrio, inclusive da sexualidade, desde que, evidentemente, exercida com um mínimo de noção de responsabilidade.

421 – A sexualidade em desequilíbrio pode desencadear um processo mediúnico?
Já nos referimos ao assunto, mas reafirmo: desencadearia, com maior propriedade, um processo obsessivo. Os médiuns com conflitos sexuais, reprimidos ou expostos, carecem não consentir que tais conflitos interfiram em suas atividades – não raro, tornando-se amargos e ríspidos no trato com as pessoas!

422 – O médium é médium por causa da sexualidade intrínseca?
O médium é médium por causa de todos os fatores intrínsecos que se lhe conjugam na evolução. Mediunidade é maturação psíquica, sem que signifique maturação do espírito como um todo. Existem médiuns, espiritualmente, muito imaturos!

423 – Deve-se procurar na mediunidade um refúgio para os conflitos de ordem sexual?

Deve-se procurar na mediunidade uma oportunidade de trabalho com Jesus e, consequentemente, de autossuperação. Remédio só é remédio para si, quando se faz remédio para os outros!

424 – Por que muitos começam e, depois, perdem o entusiasmo?

Falta de ideal! Entusiasmo é uma coisa, ideal é outra. Normalmente, os que não dão sequência ao seu esforço, são os que desejam ser servidos, e não servir! Infelizmente, muitos não querem crescer!...

425 – O espírita, a serviço da Doutrina?...

Esqueça a sua condição sexual – coloque-a em segundo ou terceiro plano, seja ela qual for! E, como diria o nosso Dr. Inácio Ferreira, não fique choramingando...

426 – E se os outros não a esquecem?...

Esqueça os outros, com a lembrança deles!

427 – Como o médium homossexual deve se comportar diante de certas insinuações e ironias?

Ignore-as! Humilhações, antes de tudo, são excelente exercício para a conquista da verdadeira humildade.

428 – Se não consegue ignorá-las?...

Ele se anula para a tarefa, e é o que os espíritos obsessores, desencarnados e encarnados, pretendem que aconteça.

429 – Se no meio espírita o homossexualismo não existisse?...
Os espíritas se esqueceriam de que são humanos e ninguém haveria de lhes suportar o moralismo. Por bem menos, tem companheiro de Doutrina que se esquece de que é feito de carne e osso...

430 – Como, não "lhes suportar o moralismo"?...
Das perguntas formuladas, para mim está é a mais difícil de responder, mas vamos lá. Se muitos dos médiuns espíritas não vivenciassem conflitos sexuais até ostensivos, os moralistas da Doutrina não seriam capazes de se abster de julgar e de condenar as fragilidades humanas, que neles próprios, na maioria das vezes, revelam-se encobertas. Tem espinho cravado na carne que ajuda muito...

431 – Poderíamos dizer, então, que nos é uma espécie de tabefe?...
Sim.

432 – Talvez poucos compreendam agora...
Compreenderão mais tarde. A vida é profundamente sábia em todas as suas manifestações. Deveríamos ser

gratos a tudo o que concorre para que as ilusões a nosso próprio respeito se reduzam a pó!

433 – Agradeço ao senhor pela oportunidade dos esclarecimentos. Devemos tornar público este nosso diálogo?
Por que não?! No mínimo, confortaremos os que trabalham sob a vergasta do escárnio dos que se imaginam moralmente intocados.

434 – Com quais palavras encerraremos?
Com as anotadas pelo Evangelista Mateus, capítulo 21, versículo 31: "Em verdade vos digo que publicanos e meretrizes vos precedem no reino de Deus".

Odilon Fernandes

Dr. Odilon Fernandes, cirurgião-dentista, professor universitário, comerciante, nascido em 10 de outubro de 1907, em São João de Capivari, Estado de São Paulo, e falecido em 13 de janeiro de 1973.

Casado com Dalva Guido Fernandes em 1934, deixou 4 filhos. Espírita por religião e pesquisador por convicção, aprofundou-se nas diversas áreas do conhecimento da mente humana, interessando-se pela Parapsicologia, Psicologia Experimental e Vida Extracorpórea. Para tanto, fundou e presidiu até a sua desencarnação a "Casa do Cinza", templo espírita cristão. Sua vida se resumiu, em poucas palavras, no amor ao próximo, na persistência ao trabalho útil, na fidelidade aos seus princípios, na dedicação completa à comunidade em que viveu.

Outras Obras do Autor

- Mediunidade e Doutrina (IDE)
- Mediunidade e Caminho (IDE)
- Mediunidade e Evangelho (IDE)
- ABC da Mediunidade (DIDIER)
- Mediunidade e Apostolado (DIDIER)
- Mediunidade e Obsessão (DIDIER)
- Mediunidade na Mocidade (DIDIER)
- Para Vencer às Drogas (DIDIER)
- Ser Médium (DIDIER)
- Somos Todos Médiuns (DIDIER)
- Mediunidade Perguntas e Respostas (DIDIER)
- Falando de Mediunidade (DIDIER)
- Conversando com os Médiuns (LEEPP)
- No Mundo da Mediunidade (LEEPP)
- Mediunidade e Animismo (LEEPP)
- Mediunidade e Sabedoria (LEEPP)
- Mediunidade Consciente (LEEPP)
- O Transe Mediúnico (LEEPP)
- A Mediunidade Nossa de Cada Dia (LEEPP)
- Mediunidade e Sexualidade (BOA NOVA)